UN BOSQUE TRANQUILO
Mindfulness para niños y padres

presenta

Editorial ELA

© De la edición española:

Ediciones Librería Argentina
Andrés Mellado, 42
28015 Madrid. España
Tefno: 91 5434781
www.libreriaargentina.com

Textos: Patricia Díaz-Caneja
Ilustrado por: Marta NavalGar
ISBN 978-84-9950-211-3
Depósito Legal: M-30166-2019
Diseño y maquetación de los
contenidos del interior del libro:
Marta NavalGar
Impreso en España

EL HADA HABLA

Para practicar y educar en Mindfulness

Niños y padres

Ediciones Librería Argentina
www.libreriaargentina.com

¿ES ESTE LIBRO PARA TI?

"Lo que propone este libro son invitaciones a la práctica. Luego cada uno decide qué hacer. No puedes obligar a tu hijo a practicar *Mindfulness*, pero tú sí que puedes hacerlo".

Tienes un niño pequeño, adorable. Es lo mejor de tu vida, pero también es un poco terco y a veces decide que no quiere vestirse. Hoy es uno de esos días, precisamente hoy, que tienes prisa porque tienes que coger un avión. Tu hijo ha decidido que no se viste. Tratas de convencerle, de chantajearle, pero nada es efectivo. De pronto estallas. El asunto se te ha ido de las manos. Lo agarras, gritas, lo que sea que hagas. Al final, tras dejarlo en el cole, terminas en el aeropuerto con lágrimas en los ojos sin saber si son de frustración por lo que ha ocurrido o si de alegría porque te vas.

O tienes dos hijos adolescentes. Has tenido un día agotador y sueñas con llegar a tu casa y descansar. Abres la puerta y ¡sorpresa! La cocina está hecha un desastre. Pierdes el control y te enfadas muchísimo con tus hijos. Seguramente incluso eres tú quien termina recogiendo la cocina mientras piensas o dices todo tipo de frases. Después te sientes fatal. Te sientes el ser más inútil y menos querido del mundo.

En cualquiera de los dos casos, te sientes muy mal padre o muy mala madre.

Si te resulta familiar alguna de estas situaciones, este libro es para ti.

Muchos nos hemos sentido así y muchos aún nos sentimos así. No te garantizo que a partir de ahora nunca vuelvas a perder los estribos, es más, con toda certeza podría garantizarte que los volverás a perder, pero te aseguro que con menos frecuencia.

En este libro comparto contigo mi experiencia como madre y como profesional. Puedo compartir contigo lo que yo he vivido, pero sobre todo lo que en estos 20 años me han enseñado tantas familias y tantos niños. Y sí, te aseguro que podemos aprender a lidiar con ello. Podemos comenzar desde hoy, desde ahora.

Es muy probable que a medida que practicas *Mindfulness*, tus estallidos, tus miedos, tus sentimientos de culpabilidad, tus ansiedades, tus dudas, sean mucho menos frecuentes y mucho menos intensas.

No te pido que creas lo que digo en este libro, tampoco lo escribo para que rebatas cada línea, aunque podría ser una opción. Lo escribo sobre todo porque a mi me ha servido todo lo que expreso en él y creo que a ti también te puede servir.

Te invito a que lo pruebes, a que lo experimentes.

Sí, tómatelo como un experimento. No es peligroso. Léelo con esa mente de principiante que tienen los niños. Olvídate de lo que te han dicho, de tus programaciones, de tus creencias y léelo sin expectativas, sin prejuicios, como si fuera una aventura, y luego, si así lo sientes, puedes contárnoslo.

Puedes leer el libro seguido o leer aquellos capítulos cuyos títulos resuenen más en ti. Verás que todos somos mucho más parecidos de lo que podemos pensar a priori y que tenemos las mismas dificultades y preocupaciones.

Verás que en la mayoría de los capítulos hay dos apartados, uno dirigido a los padres y otro dirigido a los hijos. Tratamos de llegar a ambos ya que en muchas ocasiones, la explicación dirigida a los adultos es demasiado compleja para los hijos, del mismo modo que la explicación dirigida a los niños es demasiado simple para los padres.

Cuando practiques con tu hijo lo que te proponemos, no te preocupes de lo que haga éste. Explica la pauta descrita y lo hacéis cada uno a la vez. Esto es la práctica conjunta. No se trata de "vigilar" mientras él lo hace, se trata de hacerlo juntos. Cuando se diga "cierra los ojos", ambos los cerráis. No te quedes tú con los ojos abiertos para asegurarte de que él lo hace "bien". Recuerda que se aprende más del ejemplo que de las palabras. Si tú no cierras los ojos, él aprenderá que no hay que cerrarlos. Si tú los cierras, él los cerrará.

Otro aspecto que integrarás a lo largo del libro es cómo *Mindfulness* potencia la responsabilidad de cada uno y las respuestas conscientes en lugar de las reacciones inconscientes. Esto es muy importante.

Lo que propone este libro son invitaciones a la práctica. Luego cada uno decide qué hacer. No puedes obligar a tu hijo a practicar *Mindfulness*, pero tú sí que puedes hacerlo.

Si yo he podido, tú puedes.

PRESENTACIÓN

Cuando decidimos lanzarnos a contar un cuento para que los niños aprendieran a meditar, *Un Bosque Tranquilo*, no imaginábamos ni su publicación, ni su éxito, y desde luego no sabíamos que tendría una segunda parte, como la que ahora te presentamos.

En *Un Bosque Tranquilo*, **El Hada Atención Plena**, llega a un bosque donde todos sus habitantes estaban muy estresados, donde los "papás tenían mucha prisa" y además, "a nadie le daba la risa". **El Hada Atención Plena**, que es así como se llama, explica a los animales del bosque cómo hacer las cosas con atención y más despacio, y cómo de ese modo todo será mucho más bonito y en definitiva, disfrutarán más de la vida.

Pretendíamos con ello enseñar a los niños lo que es *Mindfulness*, y trasladarles que el hecho de prestar atención a la respiración y a lo que se hace en cada momento, tiene como resultado que se disfrute más de la vida.

Pero también escribimos *Un Bosque Tranquilo* para los padres. Así, lo que buscaba, lo que buscábamos Marta y yo, en última instancia, era llegar a los padres y a los educadores por medio de los niños.

Efectivamente, existen tres ocasiones en el cuento en las que **El Hada Atención Plena** habla con los animalitos, aunque en realidad se dirige a los padres. Al comienzo, explica que en *El Bosque*, *"los papás tenían mucha prisa"*. No son los niños quienes tienen prisa, son los padres.

Hacia la mitad del cuento, mientras **El Hada** explica a los animales cómo respirar, uno de ellos dice: *"se lo voy a contar a mi mamá, que seguro que le va a encantar"*.

Por último, cuando **El Hada** se despide dice: *"sonreíd y disfrutad, y decídselo a vuestros papás"*. No se puede ser más explícito.

En una segunda parte del cuento, introducíamos unos ejercicios que pretendíamos que fueran hechos por los niños con sus padres, de manera que *Mindfulness* llegara a los adultos de la mano de los niños, igual que ocurría en el cuento.

Ahora, tras haber realizado decenas de talleres con padres y niños, **El Hada Atención Plena** vuelve a hablar, pero esta vez habla en un formato dirigido más a los adultos, aunque con ejercicios para que hagan los niños, con o sin sus padres.

El Hada Atención Plena vuelve a hablar recogiendo muchos de los comentarios que a lo largo de estos años me han hecho muchas familias y profundizando un poco más en lo que es la atención plena.

Así que ahora **El Hada Atención Plena** habla a los padres, porque un niño no puede incorporar *Mindfulness* a su vida si no es de la mano de su padre, de manera que si en *Un Bosque Tranquilo* nos dirigíamos a niños para que éstos hablaran con sus padres, en *El Hada Habla* nos dirigimos a los padres para que sean el puente hacia sus hijos. Porque seguimos deseando un mundo en el que haya menos papás con prisa y más papás a los que les de la risa; porque sabemos que un niño que practica, o cuanto menos conoce, la práctica de la atención plena y de la meditación, será un papá, un adulto, pacífico, sereno, generoso, feliz; porque hombres y mujeres felices hacen un mundo solidario y en paz.

De modo que aquí os dejamos, Marta con sus ilustraciones y yo con mis palabras, nuestro granito de arena.

Este proyecto ve la luz gracias a Basilio, editor de la **Editorial ELA**, que creyó en nosotras desde el principio, y que junto con su mujer, Susana, y su hija Ada, nos han animado y han publicado nuestra creación. Y por supuesto, gracias a **Marta NavalGar**, que ha ilustrado este libro, con sus manos y su corazón.

Gracias a mis hijos, sin cuya fuerza y amor jamás habría llegado al mundo de la meditación. Ellos siempre han creído en mi, y me han animado en los momentos difíciles.

Gracias a mis padres, que me han aportado el apoyo económico, sin el cual no habría podido dedicar mi tiempo a escribir.

Gracias a mi primo José, que se ofreció como lector crítico y aportó importantes comentarios, desde su mente ingeniera.

Gracias a todos los amigos, profesores, terapeutas, tutores y ahora amigos, que han ido apareciendo en mi camino de autodescubrimiento y crecimiento: María, Manuela, Thais, Miguel, Eva, Begoña, Leo, Toni, María, Inma, Héctor, José María, Maite, Ulyses. Gracias a Julio que me empujó para que tomara tierra y me sentara a escribir con disciplina. Gracias a grandes amigos que han creído en mi y han estado a mi lado en todos estos años.

Y por supuesto gracias a tantas familias y niños que me han enseñado a lo largo de los últimos 20 años, y que aún me enseñan, sin los cuales este libro no tendría sentido.

Gracias a tantos otros que no puedo nombrar, porque no acabaríamos nunca.

Patricia Díaz-Caneja Sela

CONTENIDOS

1. PARA TODOS

1. Cuando comas, come. Cuando juegues, juega. Cuando escuches, escucha 11

2. ¿Qué hora es? ¡AHORA! ¿Dónde estamos? ¡AQUÍ! 16

3. Respira, respira, respira 20

4. ¿Qué sensaciones físicas sientes en este momento? 24

5. ¿Qué emoción sientes en este momento? 30

6. ¿Qué piensas, ahora? 36

7. Desarrollando el testigo 42

8. ¿Qué tal si cada uno se ocupa de lo suyo? 46

9. No quiere hacer los deberes 51

10. ¿Quieres escuchar lo que te estoy diciendo? 57

11. Siempre se olvida la agenda en el cole 62

12. ¡Una rabieta en el supermercado! 68

2.  PARA LOS PADRES

13. Y entonces se me fue de las manos 73

14. Toma distancia 78

15. O sea, que *Mindfulness* es pasar de todo 80

16. ¡Esto es muy difícil! 82

17. No tengo tiempo para meditar 84

18. ¡Dios mío! ¡Estoy diciendo lo mismo que decía mi madre! 86

19. ¡Por qué lo digo yo y punto! 88

20. ¡Soy la peor madre/el peor padre del mundo! 90

21. ¡No se duerme! 92

22. ¡Me ha pegado! 94

Primera parte

En esta primera parte del libro, presento los aspectos más importantes de *Mindfulness*, así como algunos momentos especialmente difíciles durante la paternidad.

Cada capítulo está dirigido tanto a padres como a hijos.

La primera parte de cada capítulo va dirigida al adulto, mientras que en la segunda parte, bajo el epígrafe **El Hada habla a los niños**, recojo actividades, ejercicios o temas de reflexión para iniciarles en el mundo de la meditación y de *Mindfulness*, siempre de la mano del adulto.

Es **El Hada** el que habla a los niños, porque cuando de normas se trata, los niños suelen hacen más caso a los demás que a sus propios padres. Por eso siento que si es **El Hada** quien les habla, quien les pregunta, quien les cuenta historias, estos serán más receptivos.

De esta manera continuamos dando voz al mensaje de **El Hada Atención Plena**, que ya nos hablaba en ***Un Bosque Tranquilo***.

Cada capítulo lleva un título basado en frases clásicas de *Mindfulness* o de frases que he oído en mis talleres, lo que hace la lectura más fluída e interesante.

CUANDO COMAS, COME.
CUANDO JUEGUES, JUEGA.
CUANDO ESCUCHES, ESCUCHA.

En nuestro cuento *Un Bosque Tranquilo, Mindfulness para niños*, **El Hada Atención Plena** explicaba a los animalitos del bosque que *"si haces las cosas con atención, te diviertes un montón"*. *"Cuando comas...come. Cuando camines...camina. Cuando juegues.. juega"*.

Mindfulness es precisamente esto, **prestar atención a lo que estamos haciendo, en el momento en que lo estamos haciendo,** tan simple y tan complejo a la vez. En definitiva, es darse cuenta de lo que uno está viviendo en el momento en que lo está viviendo.

Pero vamos a ver algunos ejemplos que tal vez ayuden a comprender esto mejor.

¿Cuántas veces estamos conduciendo, llegamos a nuestro destino, y no sabemos cómo lo hemos hecho? Muchas. En estos momentos, uno puede preguntarse quién ha sido el que estaba conduciendo, o cómo es que he llegado hasta allí sin darme cuenta. Al margen del miedo o vértigo que nos puede producir el pensar o darnos cuenta del peligro que supone esa conducción inconsciente, es impresionante cuando uno se da cuenta de lo automático que puede llegar a ser nuestro cuerpo.

Otras veces estamos viendo una película mientras nos comemos unas patatas fritas y, sin darnos cuenta, ¡nos hemos terminado la bolsa! No hemos sido conscientes de que nos estábamos comiendo una tras otra las patatas de la bolsa. Y lo peor es que apenas las hemos disfrutado.

Cuántas veces nos están contando algo y nosotros asentimos automáticamente mientras nuestra mente está, literalmente, en otro lugar. Y cuando estamos cogiendo apuntes y al leerlos no nos acordamos de nada. O cuando estamos viendo una película y de pronto nuestra mente se va y nos perdemos unos cuantos minutos. Me levanto del sofá, voy hacia mi habitación y luego allí ya no sé a qué había ido. Incluso se puede salir de casa en zapatillas, olvidarnos las llaves del coche puestas o ir a comprar leche y dejarla en la tienda. A veces uno se sirve el café en un plato o pelamos patatas mientras nuestra mente está en la lista de la compra, o en el último enfado con nuestra pareja, o en los suspensos de nuestro hijo.

Hemos estado haciendo algo sin darnos cuenta. Nuestra mente se ha puesto a vagar y no nos damos cuenta.

Naturalmente que hay muchas actividades que hacemos automáticamente, como conducir, caminar, leer, cocinar. Son actividades que hemos aprendido. Al principio requieren de toda nuestra atención. Pero cuando las incorporamos, las hacemos de modo automático. Y ahí está el problema. Somos tan expertos en algo que podemos hacerlo sin pensar. Y entonces nos distraemos.

> El prestar atención a lo que estamos haciendo no implica desautomatizar esta serie de habilidades. Implica darnos cuenta de que las estamos haciendo y darnos cuenta de cuándo nos hemos despistado.

Por ejemplo al pasear. Cuando caminamos, no tenemos que pensar cómo dar cada paso porque ya sabemos hacerlo. Entonces podemos pasear, distraídos, absortos en pensamientos. Pero también podemos dar lo que se llama un paseo consciente, sintiendo cómo nuestro pie se mueve, se apoya en el suelo, sintiendo cada paso, sintiendo el aire en la cara, observando lo que tenemos a nuestro alrededor, sintiendo los olores…Es entonces cuando estamos siendo conscientes de que caminamos.

Comer una manzana saboreándola, sintiéndola, agradeciéndola, tragándola despacio, es muy diferente a hacerlo de pie mientras hablo por teléfono o pongo la ropa en la lavadora.

En todos estos casos hacemos cosas sin darnos cuenta. No somos conscientes de lo que hacemos y si nos preguntan ¿en qué pensabas cuando conducías? probablemente diremos que no lo sabemos.

De modo que todos esos instantes de nuestra vida pasan sin darnos cuenta. Si todos esos instantes son muchos, resulta que no nos damos cuenta de nuestra vida. **Nos perdemos nuestra vida en una serie de momentos inconscientes.**

Uno puede pensar que esto no tiene demasiada importancia, pero la tiene y mucha. A veces no nos damos cuenta de lo que estamos pensando, pero otras muchas nos perdemos en preocupaciones, nos perdemos en pensamientos del pasado, o en preocupaciones del futuro, y al final **nos perdemos la vida.**

Y no sólo nos perdemos nuestra vida, nos perdemos la vida de nuestros hijos. Y nos la perdemos porque no hemos estado ahí cuando jugábamos con ellos al dominó, porque cuando

"La práctica de *Mindfulness*, la práctica de la atención plena al momento presente, nos ayuda a ser conscientes de nuestra vida, y esto nos proporciona calma, serenidad, disminuye el estrés y fomenta la responsabilidad de nuestras acciones".

les contábamos un cuento estábamos con nuestra mente en la oficina, porque cuando estábamos haciendo su cena favorita estábamos pensando en la discusión que habíamos tenido con su padre o su madre, porque cuando nos contaron que les gustaba alguien del cole, nosotros estábamos haciendo la lista de la compra.

Pero es que además, muchas de las aventuras que corren por nuestra mente mientras nosotros estamos haciendo cosas con ese piloto automático, nos provocan ansiedad, estrés, temores, enfados y tristezas que, en la mayoría de los casos, son infundadas.

La práctica de *Mindfulness*, la práctica de la atención plena al momento presente, nos ayuda a ser conscientes de nuestra vida, y esto nos proporciona calma, serenidad, disminuye el estrés y fomenta la responsabilidad de nuestras acciones, como veremos en las siguientes páginas.

Y como comenzaba diciendo: ***Mindfulness* es darnos cuenta de que estamos viviendo, tanto en los momentos en que nos gusta lo que vivimos, como en los que no nos gusta**.

El Hada habla a los niños

"Si haces las cosas con atención, te diviertes un montón".

Muchas veces hacemos varias cosas a la vez o cuando estamos haciendo algo, estamos pensando en otra cosa. Entonces, las cosas no nos salen como nos gustarían. Por ejemplo, a veces salimos del cole pensando en que tenemos muchas ganas de llegar a casa para jugar con nuestros juguetes y entonces se nos olvida el abrigo.

Otras veces, llevamos un vaso de agua a nuestro cuarto y como pensamos en otra cosa, como que a lo mejor mi mamá me regaña por llevar agua fuera de la cocina, se me cae el agua.

Todas esas cosas ocurren porque nuestra mente va muy rápido y es como si nos dijera muchas cosas. Y como habla tanto y tenemos tantos pensamientos, pues se nos olvida que tenemos que fijarnos en lo que estamos haciendo.

No pasa nada. Esto es normal. Nos pasa a todos y les pasa a todos los niños. Pero poco a poco, si hacemos *Mindfulness*, nos vamos acostumbrando a hacer una

cosa cada vez, y entonces vamos a tener menos despistes y vamos a estar más concentrados.

Y esto de estar más atento ¿sabes para qué sirve? Para hacer las cosas mejor y sobre todo, pasarlo mucho mejor y estar más tranquilo. Como nos decía **El Hada Atención Plena** en *Un Bosque Tranquilo*:
-"**Si haces las cosas con atención, te diviertes un montón**".

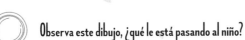 Observa este dibujo, ¿qué le está pasando al niño?

 Reflexiona

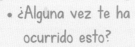

- ¿Alguna vez te ha ocurrido esto?
- ¿En qué momentos?
- ¿Cómo te sientes cuanto esto te sucede?
- ¿Te gustaría darte cuenta de lo que haces y no despistarte?

Es fácil distraerse. En realidad nuestra mente es como un mono que salta de liana en liana, por eso a veces se la llama "mente de mono", pero podemos aprender a domesticar esa mente de mono. Solamente tenemos que entrenarnos para estar atentos a lo que estamos haciendo y así, cuando caminemos, solamente caminaremos, cuando comamos, solamente comeremos, y cuando juguemos, solamente jugaremos.

 Al final nos iremos acostumbrando a hacer sólo una cosa cada vez.

2. ¿QUÉ HORA ES? ¡AHORA! ¿DÓNDE ESTAMOS? ¡AQUÍ!

La física y las tradiciones místicas y filosóficas nos dicen que el tiempo no existe, que es una construcción mental. Lo único que existe, lo único que realmente vivo, veo, siento, huelo, es el presente, es *el Aquí, es el Ahora*. Esto es vivir en una actitud de atención plena. Vivir el presente. De otro modo, nos perdemos la vida.

Comienzo mis talleres con niños con estas dos preguntas:
¿Qué hora es? AHORA
¿Dónde estamos? AQUÍ
Y es que lo demás queda fuera. Ya nos ocuparemos de ello en su momento.

Cuando vivimos en el presente, vivimos desde un lugar de calma, de plenitud. Aceptamos la vida tal cual es, tal cual viene, momento a momento.

Me parece importante en este momento señalar dos aspectos: Por un lado, y a diferencia de lo que a veces se cree, *Mindfulness*, y por tanto, la meditación, no son sinónimos de relajación. Sin embargo, **cuando se vive desde una actitud de atención plena, se vive con más calma y serenidad.**

Por otro lado, vivir el presente no es vivir únicamente lo que me resulta agradable. Vivir el presente implica lanzarte y sentir del mismo modo tanto lo que nos gusta, como lo que no nos gusta.

¿Cuántas veces nos refugiamos en la comida, en los móviles, en las series, en las compras o en la televisión cuando nuestro presente no nos gusta? Esto no es tener una atención plena *en el aquí y ahora*. Esto es huir de lo que no me gusta y buscar únicamente disfrutar de la vida cuando a mi me conviene.

Cuando uno ve esos momentos en los que no nos resulta fácil fluir con la vida simplemente como lo que son, situaciones o momentos que no nos gustan y que por supuesto pasarán,

aparece una sensación de calma, ya que dejas de luchar.

Imagínate que estás observando las olas del mar desde la orilla, ¿te imaginas enfadándote porque algunas olas no son como tú desearías que fueran? Observar la vida desde el presente es algo muy parecido. **Vive la ola que te ha tocado, la pequeña y la grande**.

El pasado nos provoca culpa, arrepentimiento, tristeza. En ocasiones frena nuestro crecimiento, nos impide ser felices, nos impide reinventarnos o pasar página.

El futuro nos angustia, nos provoca miedo, ansiedad. Otras veces nos despista o nos excita demasiado, desviándonos de nuestro momento presente.

Nos creemos que el pasado sigue hoy y que el futuro será tal cual nuestra mente nos dice que será, pero no es así. **No controlamos nuestra vida**. De hecho, el futuro no deja de sorprendernos.

No estoy diciendo que no haya que planificar, ni tampoco que no haya que aprender del pasado, al igual que tampoco es *el comamos y bebamos que la vida son dos días*, ni implica el no desconectar tomándome un refrigerio al salir del trabajo. Implica hacer todo eso siendo consciente de que lo hago. De hecho, cuando practicas *Mindfulness*, disfrutas mucho más de las cosas y eres mucho más responsable. Únicamente se trata de *hacer algo* cuando uno decide *hacerlo*, siendo consciente de su elección.

La práctica de la atención plena es un acto de amor hacia nosotros mismos, ya que es el único modo de vivir plenamente.

¿Cómo podrías inculcar esta actitud de presente en tus hijos? Podéis hacer un mural en casa o escribir en una pizarra:

¿Qué hora es? Ahora
¿Dónde estamos? Aquí

Este mensaje puede recordarnos que podemos aprender a vivir cada instante como si fuera el único, porque *ahora estamos aquí*, y cuando tu hijo adolescente no pueda dormir porque está angustiado por una discusión que ha tenido con su novia, puedes ayudarle recordándole que *ahora está aquí*, y que sólo eso existe. O cuando tu hija esté nerviosa porque va a comenzar un examen y sienta miedo de suspender, el hecho de centrarse en *ahora*, en *aquí*, puede hacer que se centre en hacer el examen y así su mente dejará de lado esos miedos. No tardaran en darse cuenta de que las cosas se comprenden mejor desde la calma que desde la angustia, y volver al presente, como explico en los siguientes capítulos, nos da esa perspectiva.

Y por supuesto también puede ayudar a los padres. Cuando llegas del trabajo, con mil pensamientos en la cabeza, no está de más el recordarte que *ahora está aquí*. En realidad, todo lo demás, no existe.

 { "Lo único que existe es el presente"

El Hada habla a los niños

"AQUÍ y AHORA"

Reflexiona

- ¿Qué es <u>AQUÍ</u> para ti? ¿Dónde estás?
- ¿Qué estás haciendo <u>AHORA</u>?

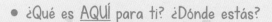

❝ ¿Has estado en algunos lugares antes?

¿Más tarde estarás en otros lugares?

Seguro que sí. Es imposible que te quedes siempre en el mismo lugar, ¿verdad?

Te voy a dar un truco para cuando no te puedas dormir o estés preocupado porque te ha ocurrido algo en el cole o con tus amigos, o para cuando estés nervioso porque tienes un partido al día siguiente, una obra de teatro o un examen:

 Cuando te sientas así, acuérdate del lugar en el que estás ahora, y dibújate en él. Será tu dibujo de Aquí, Ahora.

Ya te ocuparás de lo demás cuando llegue el momento. ¿No crees?

Dibújate tal como estás, <u>AHORA</u>, en el lugar en el que estás.

3. RESPIRA, RESPIRA, RESPIRA

Para mi existen cuatro ejes sobre los que se apoya la práctica de la atención plena. Estos son la respiración, la atención al cuerpo, la atención a los pensamientos y la atención a las emociones.

Comienzo con **la respiración**, porque como se verá, **va a ser clave en el proceso de comenzar a vivir con una actitud** *Mindfulness*.

La respiración es el eje que nos trae al presente. Cuando nos damos cuenta de que nos hemos perdido en nuestros pensamientos, llevar la atención a la respiración, hacer 3 ó 4 respiraciones conscientes, nos ayuda a volver *"al aquí, al ahora".*

Cuando en mis talleres con niños leemos el cuento *Un Bosque Tranquilo*, los niños recuerdan muy fácilmente el *"respira, respira, respira"* que les enseña **El Hada Atención Plena**. Ese *"respira, respira, respira"* es el truco que han de hacer cuando se

enfaden, cuando tengan miedo o cuando estén tristes.

Por eso, una vez aprendido, no será raro que sean ellos quienes se lo digan a sus padres cuando estos se enfaden, -*"Mamá, respira".*

Y es que la respiración tiene en nosotros unos efectos fisiológicos muy importantes.

Todos sabemos que una respiración profunda nos relaja, nos para. A veces la tomamos antes de hablar para centrarnos o calmarnos. Hemos notado que cuando estamos nerviosos respiramos más superficial y rápidamente, y que cuando se duerme, la respiración es calmada y suave.

 La respiración es la base de la meditación, es el foco en el que habitualmente nos centramos al meditar

Haz la prueba. Simplemente cuando te acuerdes, estés haciendo lo que estés haciendo, observa tu respiración, ¿qué ha ocurrido?

Ejemplos:

- Estás conduciendo, te acuerdas, observas cómo estás respirando. Nada más que eso.
- Estás duchándote, te acuerdas, observas tu respiración.
- Estás cocinando, te acuerdas, observas tu respiración.
- Estás esperando, te acuerdas, observas tu respiración.
- Estás escuchando una opinión con la que no estás de acuerdo, te acuerdas, observas tu respiración.

Te invito a que lo registres en el siguiente cuadro:

Es posible que, además de darte cuenta de que te tranquilizas, continúes con tu actividad desde otro lugar mucho más atento, desde un lugar "más mindful".

Esto es el "respira, respira, respira" de **El Hada Atención Plena**. No es más que apartar nuestra atención de nuestros "pensamientos de mono", y llevarla a la respiración. Automáticamente nos metemos en ese mar de respiración, en esa marea que nos va a impedir, como veremos, saltar al descontrol, a la reacción inconsciente.

Pero no solamente es eso. También nos lleva al presente, a darnos cuenta de lo que estamos haciendo, de cómo nos sentimos. **Es imposible estar inmerso en pensamientos mientras nos centramos en la respiración, aunque sea por un segundo**. Ese segundo después se convertirá en dos, en tres y en minutos.

¿Qué estoy haciendo?	Al observar mi respiración, me doy cuenta de que...

La mente sólo puede estar en una cosa a la vez. Y si la llevamos a la respiración, la alejamos de las distracciones.

Existen muchos juegos que ayudan a los niños y adolescentes a ser conscientes de su respiración.

A continuación enumero algunos ejemplos, que puedes poner en práctica con tus hijos o animarles a que los hagan:

• Tumbarse en el suelo con las manos en la tripa, sintiendo la respiración.
• Tumbarse en el suelo con un peluche en la tripa, para observar como sube y baja.
• Tumbarse en el suelo con algo más pesado que un peluche en la tripa (un kilo de arroz, un juguete que pese un poco, etc.) para que el niño sienta el movimiento de su abdomen con más claridad.
• Hacer pompas de jabón.
• Hacer carreras empujando pelotas de *Ping-Pong* por el suelo.
• Soplar velas.
• Oler colonias, flores, diferentes comidas...
• Correr, saltar, bailar... En definitiva, hacer alguna actividad que requiera ejercicio físico durante unos minutos y parar, sintiendo cómo la respiración es rápida, y tumbarse o sentarse con las manos en la tripa y en el corazón, observando cómo, poco a poco, esta se va haciendo más lenta.

El Hada habla a los niños

Dile a tu hijo que se ponga de pie, con la espalda en contacto con la pared. Colócale una mano sobre el pecho, y otra sobre el abdomen. Anímale a que se fije en cómo es su respiración.

Reflexiona

- ¿Cuál de las manos se levanta? ¿La del pecho? ¿La del abdomen?
- Si te cuesta darte cuenta, tal vez te ayude tumbarte en el suelo.

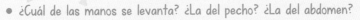

- Trata de respirar de modo que se mueva sobre todo la que tienes en el abdomen y que la del pecho no se mueva, ¿lo notas? La del **abdomen** es **la respiración de la calma**. Si la que se mueve es la del **pecho**, es **la respiración de cuando estamos nerviosos.**

- Puedes tratar de tomar aire contando hasta cuatro y soltarlo contando hasta ocho. Esta es **la super respiración**. Cuando te sientas nervioso, triste, enfadado o con miedo, practica esta respiración. **¡Practica la Super respiración! Verás como todo cambia.**

Recuerda que en las páginas 35, 36 y 37 de *Un Bosque Tranquilo* tienes algunas actividades interesantes para practicar la respiración.

Escucha esta meditación de dos minutos en nuestro Canal de YouTube Un Bosque Tranquilo*: https://youtu.be/otSULVhX4tM*

4. ¿QUÉ SENSACIONES FÍSICAS SIENTES EN ESTE MOMENTO?

Si te pregunto cómo está tu cuerpo en este momento, ¿qué responderías? Observa tu respuesta. Veamos si reconoces o no las sensaciones físicas.

Muchas veces hago esta pregunta a los adultos de mis talleres y las respuestas más habituales son:

- "Tranquilo" (en realidad esta no es una sensación física).
- "No sé, no sabría decirlo".
- "¿Mi cuerpo?"
- "Dolor de cabeza".
- "Un poco tenso en el cuello".
- "Nervioso" (tampoco es una sensación física).

Yo respondo, por ejemplo:
- *"Pues mi cuerpo tiene los pies fríos, las manos calientes. Siento hambre, hay dolor en mi pierna, mis muslos estás relajados y siento ganas de ir al baño".*

Entonces muchos responden:
- *"¡Ah! ¡Bueno! ¡El mío también!".*

Conclusión, no sólo nos cuesta ser conscientes de lo que sentimos, sino que tampoco sabemos lo que es una sensación física.

Al no prestar la suficiente atención y al no darle la importancia que tiene, tendemos a responder con rodeos o con respuestas complejas, haciendo complicado lo sencillo.

Nuestro cuerpo puede tener calor, frío, hambre, sed, estar cansado o lleno de energía, puede tener dolor, tensión, relajación. Ganas de ir al baño o ganas de vomitar. Puede sentir indiferencia o mariposas en el

estómago. Puede tener una parte dormida y sentir hormigueo en otra. Puede sentir presión en la garganta o tensión en la boca del estómago. Sequedad en la boca. Nariz taponada. Ojos que pican. Zumbido en oídos.

Es fascinante todo lo que se puede percibir y no nos damos cuenta.

¿Y qué tiene esto que ver con *Mindfulness*? Tiene que ver mucho y además es fundamental.

El cuerpo está en el presente, lo que sentimos lo sentimos ahora. Del mismo modo que uno respira en este momento y podemos observar cómo respiramos en este momento, el hecho de "bajar al cuerpo" y observar cómo está, nos trae al presente.

El cuerpo está en el presente. Lo que siento en el cuerpo, lo siento ahora.

Uno siente dolor ahora, hambre o sed, y cuando soy consciente de cómo está mi cuerpo en este momento, soy consciente de cómo estoy *aquí, ahora*.

Te invito a que observes algo más. Del mismo modo que un bebé está tranquilo cuando no tiene ni hambre, ni sed, ni sueño, ni frío, ni está mojado, así nosotros, los adultos, los padres, estamos más tranquilos cuando no estamos cansados, ni con dolor, ni con hambre, ni con

sueño; es decir, **la toma de consciencia de nuestras sensaciones físicas nos puede dar una indicación de nuestro nivel de estrés en un determinado momento**.

Si yo me doy cuenta de que me encuentro mal, de que me duele la cabeza, de que tengo hambre y de que además me hacen daño los zapatos, comprenderé que no estoy en un momento "bueno". Esto será como una alerta y estaré mucho más pendiente de lo que digo o de lo que hago, y quizás, cuando entre en casa, antes de hacer cualquier otra cosa, buscaré una excusa para ausentarme porque sé que en ese momento soy mucho más vulnerable al enfado o al llanto.

Imagínate estas situaciones:
- Estás en una reunión, no puedes salir, te están hablando de algo importante y resulta que tienes mucho calor, ¿crees que estás más inquieto que si no tuvieras tanto calor?
- ¿Te has fijado en lo que hace un bebé cuando tiene hambre, frío, sueño o se siente sucio? Llora.
- ¿Te has fijado en lo que hace un niño de unos 5 años cuando está en la clase y tiene ganas de hacer pis? Se mueve o se lleva la mano al pantalón, pero sobre todo, está distraído y seguramente no pueda seguir las indicaciones de la profesora.

Todas ellas nos indican que la toma de consciencia de nuestro cuerpo es importante para estar en el presente, para conocernos mejor y poder gestionar esos momentos complicados. Por eso es muy importante ayudar a nuestros hijos a conocerlas, e incluso acordarnos de que esas sensaciones físicas que a nosotros nos controlan, nos dirigen o nos desequilibran, también pueden hacerlo con nuestros niños.

La práctica de la atención plena nos ayuda a ser consciente de nuestro cuerpo, pero también a aceptar cómo está nuestro cuerpo.

No aceptar las sensaciones físicas, resistirnos a ellas, nos lleva al sufrimiento.

Cuando siento hambre y no puedo comer, es mejor aceptar esa sensación, no es más que eso. No es más que una sensación, que en el contexto en el que vive el lector, se pasará antes o después, porque antes o después podrá comer.

A veces no podemos cesar esa sensación. El dolor crónico, por ejemplo, que a veces no se soluciona de ningún modo, es una sensación difícil de aceptar. Sin embargo, es posible. De hecho, **la práctica de la atención plena no evita el dolor, pero cambia nuestra actitud hacia el dolor.** Dejamos de luchar contra él para aceptarlo.

A veces un niño no nos hace caso, está como ausente. Creemos que no nos presta atención y que no lo hace voluntariamente. De pronto, se hace pis. Pueden haberle pasado muchas cosas, pero la más sencilla y que casi nunca tenemos en cuenta, es que tenía muchas ganas de hacer pis y por eso no nos podía prestar atención.

Además, ahora se le ha escapado y es posible que le regañemos.

O en el colegio, una niña está leyendo mal, se está equivocando constantemente. Puede tener hambre, puede tener sed, puede tener sueño o puede ser que le duela la tripa, pero casi nunca pensamos en esta posibilidad. A veces simplemente vamos a su conducta, *-no lo hace porque no quiere, porque cuando le interesa bien que presta atención.*

Otras veces investigamos en sus emociones, *-¿te ocurre algo, estás triste?-,* y otras en sus pensamientos, *-¿En qué piensas? Siempre estás distraído con tus historias-,* pero no solemos pensar en la posibilidad más sencilla de todas: que tenga una sensación física que está acaparando toda su atención.

El Hada habla a los niños

¡PRACTIQUEMOS EL JUEGO DE LAS SENSACIONES!

La atención al cuerpo es uno de los ejes de la atención plena. Con este juego, podéis practicar la atención a las diferentes sensaciones que nos evocan diferentes estímulos.

- **Atención a los sonidos:** Escucha una canción que le guste a tu hijo o alguna que conozcáis los dos. Se trata de escucharla con atención plena. Debéis establecer unas normas, por ejemplo, levantar la mano cada vez que se oye a alguien cantar, o cada vez que se repite una determinada palabra, o cada vez que suena un plano o un tambor. Si estamos distraídos no nos daremos cuenta de estos cambios.

- **Atención a lo que vemos:** Colocaos uno frente a otro y por turnos decid frases del tipo: -*veo que llevas unos pantalones azules, veo que tienes los ojos verdes, veo que no llevas zapatos, veo que tienes el pelo rubio*-. Es un sencillo ejercicio que nos incita a fijarnos en el otro. Esto mismo puede hacerse describiendo los objetos que vemos a nuestro alrededor.

- **Atención a lo que tocamos:** Puedes jugar al clásico juego de adivinar con el tacto de qué objeto se trata. Puedes escoger objetos de diferentes texturas, incluso con diferentes temperaturas, como cubitos de hielo, y con los ojos cerrados, sólo utilizando el tacto, debemos de adivinar de qué objeto se trata.

sensaciones

¡PRACTIQUEMOS EL JUEGO DE LAS SENSACIONES!

- **Atención a los olores:** Una opción es oler diferentes aromas y adivinar de qué se trata, pero a mi me gusta más estimular el olfato con estímulos que nos suelen pasar más desapercibidos. Por ejemplo, cada persona huele de un modo diferente. En casa, se pueden colocar prendas de diferentes miembros de la familia y reconocer por el olfato a quién pertenecen. Te sorprenderás de la agudeza olfativa que a veces tenemos.

- **Atención a los sabores:** Lo he dejado para el final adrede, ya que la atención a los sabores constituye una de las prácticas principales de *Mindfulness*. La atención a lo que comemos es básica, y el prestar atención plena a esos momentos. En este juego, podemos practicar con diferentes alimentos, poniéndoles nombre (salado, dulce...) y expresando si nos gusta o no nos gusta.

Reflexiona

- ¿Qué juego te ha gustado más?
- ¿Has descubierto algo que no supieras? Por ejemplo, me he dado cuenta del color de tus ojos; o me he dado cuenta de que el sabor agrio me resulta agradable.

Puedes practicar la atención a las sensaciones siempre que lo desees, porque siempre estamos recibiendo estímulos del exterior. Incluso si estuviéramos en un lugar oscuro y silencioso, nos llegaría el sonido del silencio y el negro de la oscuridad.

 ¿Recuerdas lo que nos decían el mapache y el conejo en las páginas 48 y 49 de *Un Bosque Tranquilo* sobre las sensaciones, y cómo se asocian con el pensamiento?

▶ *¿Sabes que todo pasa? Practica con la meditación "Deja que nieve" de nuestro Canal de YouTube, Un Bosque Tranquilo: https://youtu.be/1J9cBeXOcYw*

ATENCIÓN
PLENA

¿Qué piensas al oír o leer GALLETA DE CHOCOLATE?
¿Qué sientes?¿Dónde lo sientes?
¿Puedes localizar alguna sensación en tu cuerpo?
Quizás en la boca, en el estómago…

¿Y si digo PICOR?
¿Sientes picor en alguna parte de tu cuerpo? No te rasques.
Respira al menos tres veces sintiendo ese picor.
Investiga si puedes o no aguantarlo.
¿Te habías dado cuenta de que sentías picor antes de oír la palabra?
¿Qué sientes cuando te pica algo y no te rascas?
¿Qué piensas en este momento?

5. ¿QUÉ EMOCIÓN SIENTES EN ESTE MOMENTO?

Se insiste ahora en los colegios en la importancia de la educación emocional. Se publican cuentos sobre las emociones, se enseñan canciones y se llenan las aulas de caritas con diferentes emociones, pero cuando nos preguntan cómo estamos en este momento, decimos: -*Bien. Normal, no sé, como siempre*-. O comenzamos a dar una larga explicación que mezcla pensamientos con sensaciones, del tipo: -*Pues es que hoy en el trabajo he discutido con un compañero y me duele la cabeza.*

A los niños siempre les digo que yo no entiendo ni "bien", ni "mal", ni "normal", ni "como siempre". No lo puedo entender porque son conceptos o ideas subjetivas que sólo cada uno conoce. Además, desde la perspectiva que aporta la atención plena, no existe nada bueno ni malo.

En español tenemos cientos de palabras para expresar las emociones, aunque todas parten de 5 básicas[1] (alegría, ira, tristeza, miedo y asco), y tenemos un vocabulario emocional que se limita a "normal".

Aún creemos que hay emociones buenas y emociones malas, y aún decimos a nuestros hijos que no lloren o que no se enfaden tanto.

Un niño que no se enfada, será un adulto que no será capaz de poner límites.

Un niño que no tiene miedo, será un adulto irreflexivo e inconsciente.

---

[1] Al hablar de emociones en este libro, se toma como referencia la distinción occidental entre sensaciones físicas, emociones y pensamientos, por motivos pedagógicos fundamentalmente.

Un niño que no llora, será un adulto que no reconozca su necesidad de pedir ayuda o de necesitar a los demás, que evite sentir por miedo a sufrir.

La mayoría de nosotros somos unos "analfabetos emocionales", lo cual es lógico puesto que no hemos recibido una educación que tuviera en cuenta las emociones.

Lo que ocurre es que **no podemos educar en las emociones si nosotros no las reconocemos o no las aceptamos**. Podemos intentar enseñarlas desde la mente, pero sabemos que los niños aprenden más del modelo que les mostramos que de lo que les decimos. Así que lo mejor es empezar por uno mismo y a esto nos ayuda la práctica de *Mindfulness*.

La gente se apunta a talleres de *Mindfulness* para *controlar sus emociones*. Controlar una emoción es como meterla a presión en una botella. En cualquier momento se abre, el corcho sale disparado y el contenido sale descontrolado, descontextualizado y desubicado. Solemos llamar a esto *la gota que colmó el vaso*, cuando en realidad ha sido eso, una emoción controlada, no gestionada.

Lo primero que debemos saber es que **la práctica de la atención plena nos ayuda a gestionar las emociones, no a controlarlas**; es decir, no pretendemos eliminarlas ni ignorarlas, todo lo contrario. Debemos verlas, sentirlas, identificarlas, si es posible comprenderlas y dejarlas ir.

En segundo lugar, debemos tener en cuenta que **todas las emociones son importantes y que**

todas están aquí para decirnos algo y además algo muy importante:

- La alegría nos hace disfrutar de aquellos hechos que son agradables para nosotros, nos acerca a nuestros seres queridos, nos ayuda a avanzar y a disfrutar.
- La ira nos ayuda a defendernos, a establecer nuestro espacio y nuestros límites.
- El miedo nos protege. Nos informa de peligros y gracias a él sobrevivimos.
- La tristeza hace que los demás nos acojan, nos consuelen y se preocupen por nosotros. También nos indica a veces que necesitamos estar solos.

No tenemos reparo en sentirnos felices, sin embargo, sí lo tenemos en sentirnos enfadados, tristes o con miedo. Pensamos que no son adecuadas y que además son una falta de educación. No nos gustan esas emociones y tampoco que las sientan nuestros hijos, por tanto tratamos de evitar que las sientan, sobre todo para evitarles un sufrimiento.

En tercer lugar, debemos saber que **las emociones siempre van a estar cambiando y nunca se quedarán para siempre**, de modo que lo más práctico sería esperar a que esa emoción que ha llegado se vaya.

Y esto enlaza con el cuarto aspecto que debemos tener en cuenta: **nosotros no elegimos las emociones, las emociones aparecen**. Del mismo modo que no elijo sentir hambre, tampoco elijo sentir ira, así que, del mismo modo que nunca se nos pasaría por la cabeza decir "no tengas hambre", tampoco deberíamos decir "no te enfades".

La emoción **no depende de mí**,
pero sí lo que hago yo con esa emoción,
lo que hago a partir de sentirla.

¿Qué relación tiene esto con *Mindfulness* y por qué se les dice a los niños que cuando estén enfadados, respiren, que cuando estén tristes, respiren, y que cuando sientan miedo, respiren? Tal como nos cuenta **Hada de la Atención Plena** en *Un Bosque Tranquilo*, la atención plena nos lleva a ser conscientes de cada momento, de lo que hacemos mientras lo hacemos y de lo que sentimos mientras lo sentimos.

Si en relación con las sensaciones físicas comentaba que ser conscientes de ellas nos lleva al presente, ser conscientes de nuestras emociones también nos lleva al presente. Y del mismo modo que he de aceptar que tengo frío, debería de aceptar que siento enfado, sin añadirle juicio.

Observando mi emoción
me doy cuenta de que siento enfado,
lo acepto y en lugar de huir,
permanezco respirando,
aceptando,
hasta que se vaya.

Te aseguro que no es peligroso y que desaparecerá. Por muy feo que sea el momento, por muy enfadados que estemos, no estaremos enfadados siempre.

Decía que en *Un Bosque Tranquilo*, **El Hada Atención Plena** les explica a los animales precisamente esto, que cuando tengan miedo, cuando estén tristes o cuando estén enfadados, respiren.

Te propongo que preguntes a tu hijo a menudo cómo se siente y que aceptes su emoción, sea la que sea.

En mis talleres siempre hacemos una ronda al principio en la que cada uno dice cómo se siente. Con el tiempo, los niños van conociendo mejor sus emociones y van siendo más precisos.

Un niño de 3 años expresó lo siguiente:
- *Estoy enfadado porque mi amigo no quería jugar conmigo en el recreo. Bueno, no, no estoy enfadado, estoy disgustado-*.

Ha diferenciado el enfado de la tristeza. Y es que a menudo, el enfado esconde tristeza. Muchos adultos no son capaces de hacer esta distinción.

Por eso, preguntar cada día *¿cómo te sientes?* va contribuyendo a que tu hijo amplíe su vocabulario emocional y sobre todo que desarrolle su consciencia emocional. Cuando no pueda encontrar la emoción, ayúdale preguntándole si es agradable o desagradable.

Mindfulness trata de aceptar lo que observamos, aquí y ahora, sin juicio. De ese modo, has de interesarte igual cuando tu hijo manifiesta que está contento, como cuando manifiesta una emoción tipo miedo o tristeza. Tendemos a preguntar más

por estas últimas porque nos preocupan más y esto no es aconsejable porque entonces se crea un refuerzo por el cual el niño siente que se le hace más caso cuando está enfadado, triste o temeroso, que cuando está alegre.

Cuando le preguntes a tu hijo cómo se siente y te diga que está triste, observa cómo te sientes.

Respira esa emoción y decide o no interesarte por ello. Y cuando su respuesta sea que está contento, obsérvate de nuevo porque es posible que tu sensación sea diferente. En cualquier caso, nada es mejor ni peor. Recuerda que estamos trabajando la consciencia, sin juicio.

{ *Mindfulness* nos ayuda a aceptar las emociones, nos gusten o no. No hay emociones ni buenas ni malas, todas son útiles. Por eso su práctica nos enseña a reconocerlas, a aceptarlas y a gestionarlas.

El Hada habla a los niños

Te propongo
esta MEDITACIÓN:

- 🪷 Siéntate en una postura cómoda, o túmbate en la cama o en el suelo.

- 🪷 Siente tu respiración. Coloca tus manos en la tripa y siente cómo se hincha y se deshincha.

- 🪷 Simplemente siente tu respiración, sin cambiarla.

- 🪷 ¿Cómo te sientes en este momento? ¿Sientes alegría, tristeza, preocupación, calma, excitación? ¿Tal vez estés tranquilo, relajado? ¿O quizás sientas curiosidad, miedo?

- 🪷 Observa cómo te sientes y nombra esa emoción. (Según la edad de los niños, la nombrarán en voz alta o baja).

- 🪷 ¿Es agradable o desagradable?

- 🪷 ¿Te gusta o no te gusta?

- 🪷 ¿Tienes una única emoción o hay varias? ¿Viene y se va o permanece siempre?

- 🪷 ¿Está cambiando?

- 🪷 Simplemente presta atención a lo que sientes, aunque no te guste.

- 🪷 Fíjate si es la primera vez que te sientes así o si te has sentido así anteriormente.

- 🪷 ¿Se trata de una emoción que tiene que ver con algo del pasado, del futuro?

- 🪷 Trata de observar dónde sientes esa emoción en tu cuerpo: tal vez sientas tensión en la garganta, calor en los manos o en la cara, o sientas como mariposas en la tripa.

- 🪷 ¿Cómo estás tus músculos al sentirte así? ¿Están tensos o relajados?

- 🪷 ¿Cómo es la expresión de tu cara? ¿Sonríes? ¿Tienes el ceño fruncido?

- 🪷 Fíjate en tu emoción y vívela. Siente cómo la emoción va cambiando. Tal vez ahora ya no te sientas como al principio. Tal vez ahora estés más relajado. Tal vez ahora sientas otra emoción.

- 🪷 Sea la que sea, siéntela, nómbrala, y recuerda que tú no eres esa emoción.

- 🪷 Observa si tienes tendencia a aferrarte a las emociones o si más bien las ignoras. Sea lo que sea, date cuenta, observa y vuelve a la respiración. No las ignores. No las inhibas. Permite que emerjan, permítete sentirlas, vive ese momento y lleva tu atención a la respiración. (Este párrafo es para niños mayores de 9 años aproximadamente).

Puedes dibujar ahora cómo te sientes en este momento. Puedes dibujar o simplemente pintar en una hoja de papel. Ponle color a lo que sientes y obsérvalo desde fuera.

Reflexiona

- ¿Qué ha ocurrido durante la meditación?
- ¿Ha cambiado tu emoción?
- ¿Has descubierto algo?

 No eres lo que sientes. No eres tus emociones.

6.

¿QUÉ PIENSAS, AHORA?

Ante la pregunta -*¿qué estás pensando?*- muchas veces respondemos: -*nada*-. ¿Nada? ¿cómo es posible que no estemos pensando *nada* y que sin embargo, la mayor dificultad al meditar sea que no podamos parar de pensar? El ser humano es pura contradicción, pura complejidad.

Como ocurre con las sensaciones y con las emociones, no es que no pensemos en nada, es que **no nos damos cuenta ni de que pensamos, ni sobre qué pensamos.**

Habitamos en un cuerpo que recibe estímulos y por tanto desencadena sensaciones en nosotros. Albergamos emociones, gracias a las cuales sobrevivimos, y también pensamientos, aunque a veces pasen inadvertidos.

Nuestra mente no nos dice la verdad. Nos dice algo y al momento siguiente nos está diciendo lo contrario. Muchas veces cambiamos de opinión, lo que significa que pensamos algo diferente a lo que pensábamos antes. A veces no podemos

dormir porque damos vueltas a un pensamiento y a la mañana siguiente nuestra mente ha olvidado ese asunto, por tanto, **la mente divaga**.

Decía en las páginas anteriores que si *Mindfulness* pone el énfasis en la atención consciente al cuerpo y en la atención a las emociones desde la distancia, aceptándolas y no dejándonos arrastrar por ellas. Con respecto a la mente:

No se trata de no pensar, sino de darme cuenta de cuándo estoy pensando y de en qué estoy pensando.

Seguro que alguna vez vas andando, absorto en tus pensamientos, sin darte cuenta de por dónde estás caminando. O estás hablando con alguien y de pronto te despistas y te pierdes en tus pensamientos sin ser consciente de ello.

La mente es un órgano, como el corazón, los pulmones o los riñones. Del mismo modo que el corazón late, la mente piensa, y del mismo modo que no puedo hacer que mi corazón se pare a mi voluntad, tampoco puedo hacer que mi mente deje de pensar. Yo no elijo con qué frecuencia ha de latir mi corazón, aunque sí que puedo llevar una vida que propicie una frecuencia cardíaca saludable. Yo no elijo mi pensamiento. Yo no elijo despistarme, pero sí que puedo elegir llevar una vida más consciente.

Tendemos a creer que elegimos nuestros pensamientos, y ocurre que cuando nos llega un pensamiento que nos disgusta, o que consideramos poco deseable o inadecuado, nos sentimos culpables.

Es muy importante que grabes en tu cerebro que tú no eliges tu pensamiento. Del mismo modo que yo no elijo mis sensaciones físicas, ni mis emociones, tampoco elijo mis pensamientos.

Si como conclusión a la lectura de este libro te quedaras sólo con esto, ya sería muchísimo porque cuando te das cuenta de que los pensamientos son simple y naturalmente aleatorios y que no dependen de ti, tu mundo cambia radicalmente. Desaparece el juicio y desaparece la culpa.

Lo único realmente importante y que en tus manos está, es el decidir lo qué hacer con tus pensamientos.

De modo que cuando me doy cuenta de que estoy despistado, entraría en juego mi voluntad, porque yo puedo decidir seguir con mis ensoñaciones o llevar mi atención a lo que estoy haciendo.

La práctica de *Mindfulness* me ayuda a aumentar mi atención al presente porque facilita que yo me dé cuenta, cada vez con más rapidez, de que me he despistado. Una vez que me doy cuenta, sólo tengo que decidir volver. Por supuesto esto no será definitivo. Al cabo de un momento mi mente se volverá a ir. Y de nuevo, cuando me de cuenta, decidiré voluntariamente si volver o no. El hecho de que se trate de un acto **voluntario** es fundamental, porque implica una actitud y un compromiso por nuestra parte. Es decir, cuando me doy cuenta de que me he despistado, depende de mí el volver o no al presente, ya sea a mi cuerpo, a lo que estoy haciendo o a la respiración.

Este volver a mi cuerpo, a mi respiración, a mi emoción, una y otra vez, es la base de la práctica formal de *Mindfulness* o meditación.

Y efectivamente, se trata de un entrenamiento. Estamos entrenando a nuestra mente para que cada vez esté más atenta. Puede resultar aburrido, ¿pero qué entrenamiento no llega a ser aburrido a veces?

Cuanto más se entrena, más conscientemente se vive y más largos son los momentos de *vacío* en los que no hay pensamiento, y llegará el día en que será posible observar ese mismo *vacío*, pero desde la consciencia.

Cuando se trabaja con niños pequeños, se hace énfasis en la respiración, en el cuerpo, en las emociones, pero no se habla de pensamientos ya que en general, **es a partir de los ocho años cuando el desarrollo cognitivo lo permite**.

Si tu hijo es mayor de ocho años, te propongo las siguientes actividades:

• Cazando pensamientos
Proponle a tu hijo un juego, que cierre los ojos y que cada vez que le llegue un pensamiento, levante la mano. De este modo nos podemos dar cuenta de que aparecen pensamientos. Tal vez ocurra que cuando presto mucha atención a mi mente,

los pensamientos no aparezcan o tarden más en llegar.

• Tirar ramitas
Otra posibilidad es la actividad de *tirar ramitas*. Sentados o tumbados, os imagináis que estáis en un puente debajo del cual pasa un río. Tenéis 20, 30 ó 40 ramitas en el bolsillo (esto dependerá de la edad del niño, recomendando comenzar con 20), y os imagináis que tiráis una ramita al río. Observáis cómo la ramita se pierde en la corriente del río y cuando observéis que estáis pendientes de otra cosa, volvéis a vuestras ramitas.

• Seguir las nubes
También podéis tumbaros en el césped mirando las nubes. Las nubes son como pensamientos que pasan por nuestra mente, que es el cielo. Unas son pequeñas y las dejamos pasar tranquilamente, otras son grandes y nos fijamos más en ellas, incluso las seguimos y vemos qué forma tienen, cómo van cambiando, dejando entonces de ver el cielo. Vuelve una y otra vez al cielo, a tu respiración. Esto te ayudará a estar consciente.

 { Y recuerda:
Tú no eliges tus pensamientos. Ellos llegan, están un rato y se van.

PENSAMIENTOS

El Hada habla a los niños

Te propongo esta actividad con la que podrás practicar la atención a los pensamientos con tu hijo.

EL RÍO LENTO [2]

Esta actividad es especialmente interesante para ayudar a tu hijo cuando tiene pensamientos obsesivos, como por ejemplo los debidos a haber discutido con un amigo, o cuando se obsesiona con la idea de suspender, etc. En definitiva, para esos momentos en los que los pensamientos no paran de dar vueltas por su mente.

🪷 Siéntate cómodamente en una silla.

🪷 Cierra los ojos, y toma unas cuantas respiraciones conscientes, centrándote en cómo estás respirando, en cómo entra y sale el aire por tus fosas nasales.

🪷 Ahora, imagínate que estás en uno de esos parques acuáticos en los que hay una atracción que consiste en montarte en uno de esos grandes flotadores y dejar que la corriente del río lentamente te lleve.

🪷 Estás frente a esa atracción y ves los colores, los sonidos, hace sol, la gente está disfrutando. Estás frente al río, observando cómo los diferentes flotadores pasan frente a ti.

🪷 Imagínate que en uno de esos flotadores va ese pensamiento que te preocupa: ese

---

[2] Traducción y adaptación del original en inglés. Burdick, D. (2014). *Mindfulness skills for kids and teens*. PESI Publishing and Media. Eau Claire. WI. USA.

amigo tuyo con el que has discutido o ese examen que no te deja dormir.

 Puedes elegir cualquier preocupación. Observa tu cuerpo cuando estás preocupado. Observa tu emoción. Tal vez te ayude escribir la palabra "examen" sobre el flotador o imaginarte a tu amigo en él.

Sea como sea, tú estás sentado, mirando el río. Poco a poco ese flotador en el que viene tu pensamiento se acerca a ti. Ves cómo llega, cada vez más cerca.

Ahora está justo frente a ti. Lo ves. Lo sigues. Pero entonces observas que pasa de largo. Que ha pasado frente a ti, pero continúa su camino.

Lo ves, lo sigues un poco, pero lo dejas pasar. Lo observas mientras se aleja y poco a poco lo pierdes de vista.

Quédate unos instantes imaginándote más flotadores bajando frente a ti, si esto te relaja. Fíjate en tu respiración. Quédate unos minutos sintiendo la respiración.

Cuando ya hayáis practicado esta meditación varias veces, puedes añadirle un paso más. Consiste en imaginarse a continuación un pensamiento agradable, o una palabra que les guste. Los niños ven cómo ese pensamiento positivo se acerca y deciden montarse con él en el flotador. De este modo, **no sólo se dejan pasar los pensamientos negativos, sino que podemos irnos con los positivos, que nos ayudan a cambiar de actitud frente a la vida.**

Reflexiona

- ¿Te has imaginado pensamientos en general o ha sido un pensamiento en concreto sobre el que estás preocupado últimamente? Si has elegido esto último, ¿de qué pensamiento se trata?
- ¿Has podido dejar pasar los pensamientos?
- ¿Te has subido a uno de los flotadores en que situaste algo positivo?
- ¿Qué has descubierto?
- ¿Cómo te has sentido?

 Revisa las páginas 43, 44 y 45 de *Un Bosque Tranquilo* para ver otras actividades relacionadas con los pensamientos.

7. DESARROLLANDO EL TESTIGO

En los primeros capítulos decía que cada uno de nosotros tiene sensaciones, pero no somos esas sensaciones, sentimos emociones, pero no somos esas emociones y tenemos pensamientos, pero no somos esos pensamientos.

Si yo puedo observar lo que pienso, tengo que ser algo diferente a eso que pienso. Si yo veo una silla, es porque yo no soy esa silla, si no, no podría verla.

Así, si yo veo un pensamiento, es porque no soy ese pensamiento. Si yo fuera ese pensamiento, no podría verlo. Del mismo modo que un ojo no se ve a sí mismo, un pensamiento tampoco se ve a sí mismo. Esto ya es más complicado, ¿verdad?

En realidad, es como cuando vemos una película. Vemos una historia en la pantalla, pero sabemos que no es nuestra historia. Cierto que a veces nos emocionamos, nos ponemos nerviosos, queremos que el desenlace sea de otro modo, pero sabemos que no somos nosotros, por mucho que nos esté gustando o por muy aburrida que nos parezca.

Esto mismo ocurre cuando nos observamos. Puede gustarnos más o menos, pero no somos lo observado. Somos el observador, no lo observado.

A nuestra mente le cuesta aceptar que haya algo que la observa, que ella no es la gran observadora de todo. Gracias a la mente nos damos cuenta de muchas cosas; sin embargo, **desde el momento en que yo observo la mente, ya no soy la mente.**

Y entonces ¿qué soy? Yo tomaría las palabras de una de las mayores autoridades mundiales de la

Psicología Transpersonal, **Ken Wilber**, que dice en definitiva que "Soy ese testigo que permanece, que se da cuenta, que observa los pensamientos, las emociones, las sensaciones, ecuánime y las deja pasar".

Esta es la **conciencia testigo**.

Meditar nos ayuda a desarrollar esa conciencia testigo.

En la paternidad, esta **conciencia testigo** implica que voy a ser capaz de ir desarrollando el distanciamiento que necesito para ver las cosas con claridad, sin contaminación de mis pensamientos, de mis emociones o de mi estado físico.

¿Y todo esto para qué? Para nuestro bienestar. Para el de padres y el de hijos.

Cuando meditamos y comenzamos a desarrollar esa conciencia testigo, esa ecuanimidad, esa aceptación incondicional, esa observación de "la película" que es nuestra vida, podemos incluso tomárnosla con humor. Le quitamos el drama a la vida, no nos identificamos con lo que vemos.

Y cuando somos capaces de ver la película de nuestra paternidad de este modo, todo es más tranquilo, más agradable, aparece la aceptación, de lo que nos gusta y de lo que no nos gusta, pero se acepta y se agradece.

El Hada habla a los niños

Para iniciar a los niños en la conciencia testigo y en esa desidentificación, a mí me gusta usar la meditación de "SOY EL MAR" [3]

- Con los más pequeños recomiendo dibujar un mar en el que aparezcan pintados una serie de peces de diferente aspecto, los cuales indiquen diferentes emociones. Se pide a los niños que coloreen los peces con diferentes colores, según la emoción que les sugiera cada pez. Cada niño colorea su propio mar en un entorno tranquilo. Cuando se ha finalizado, se les pide que se sienten en su postura de meditación y se les guía.

- Para niños mayores de siete u ocho años, se puede comenzar con la meditación directamente.

❧ Sentado en tu postura de meditación, con los pies apoyados en el suelo, sintiendo el peso de tus glúteos sobre la silla o bien sentado sobre el cojín, toma conciencia de tu respiración.

❧ Siente como entra y sale el aire por tus fosas nasales, por tu nariz. Entra y sale, entra y sale.

❧ Imagínate que tú eres el mar y te sientes grande, limpio, tranquilo.

[3] Meditación tomada de Left Brain Buddha.com

En ese mar viven peces, algas, rocas..., y de repente, ves que aparece cerca de ti un pez que se mueve muy rápido, que va chocando contra el fondo y contra otros peces. Ese pez está muy nervioso y te apetece que se calme, porque a ti no te gusta verlo así. Pero entonces te acuerdas de que tú eres el mar, de que no eres ese pez que está tan nervioso, y te dices: "soy el mar, soy el mar, soy el mar".

Al rato, aparece un pez muy enfadado, algo le ha debido de ocurrir, y tú casi te enfadas al verlo, pero entonces de nuevo te acuerdas de que eres el mar, no ese pez, y te dices: "soy el mar, soy el mar, soy el mar".

Más tarde aparece un pez muy triste y te dan ganas de llorar, porque tú también te estás poniendo triste. Pero entonces te acuerdas de que tú eres el mar, no ese pez, y te dices: "soy el mar, soy el mar, soy el mar".

He visto a mis niños repetir soy el mar cuando se han enfadado, y los padres me han contado que los han oído. No deja de impresionarme y de sorprenderme la sabiduría de los niños una y otra vez.

Puedes hacer variaciones, por ejemplo yo alterno esta meditación con *Soy el espacio*. Es igual, pero con estrellas, planetas, el sol, la luna, etc.

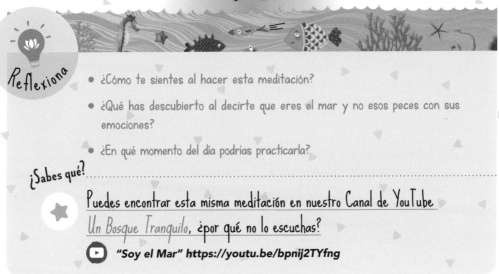

Reflexiona

- ¿Cómo te sientes al hacer esta meditación?
- ¿Qué has descubierto al decirte que eres el mar y no esos peces con sus emociones?
- ¿En qué momento del día podrías practicarla?

¿Sabes qué?

Puedes encontrar esta misma meditación en nuestro Canal de YouTube Un Bosque Tranquilo, ¿por qué no lo escuchas?

▶ *"Soy el Mar"* https://youtu.be/bpnij2TYfng

8. ¿QUÉ TAL SI CADA UNO SE OCUPA DE LO SUYO?

En mis talleres de *Mindfulness* con niños o con familias no pongo apenas normas, sólo lo que siento que es imprescindible. Una de ellas es que cada uno únicamente responde sobre sí mismo. Algo que es tan obvio a primera vista, a veces no lo es tanto.

Por ejemplo, nos ponemos a meditar y hay un niño que se ríe. La respuesta más habitual es que otros se rían porque "les han hecho reír". O en una sesión familiar un niño hace ruido y su madre le dice "no hagas ruidos que me pones nerviosa".

Con los niños uso la expresión "cada uno se ocupa de lo suyo". Es un modo personal de decirlo pero que a ellos les sirve, lo entienden y pronto comienzan ellos mismos a utilizarla.

Si hay algo que nos enseña la práctica de la atención plena es a hacernos responsables de lo que sentimos, de lo que hacemos, de lo que decimos, dejando de hacer responsables a los otros de lo que únicamente a nosotros nos corresponde.

> Si yo siento enfado, lo siento yo y no es culpa del otro, ni es responsabilidad del otro.

Entonces, me responderéis: -*No, porque si mi hijo no hubiera tirado el papel al suelo, yo no me habría enfadado*-. Pues siento decirte que esto no funciona así. Esta es una conclusión inmadura, que deja en manos del otro algo tan mío como es lo que yo siento.

Si alguien se enfada con el sol porque tiene calor, ¿no nos parecería cómico? Pues esto es igual, ya que cuando yo siento

enfado no debería buscar a ningún responsable de ello. **El único responsable de ello soy yo y por tanto el único que puede cambiar esa situación soy yo**.

Cuando hago responsable a otro de lo que yo siento, **le estoy dando el poder de mis emociones**, **le estoy dando el poder de mi vida**. Es decir, si para que yo no me enfade o no me preocupe, necesito que el otro se comporte o haga determinadas cosas, ¿quién dirige entonces mi vida? Nadie pone a otro nervioso a otro. Nadie hace reír a otro. Soy yo quien siento o hago.

Te recomiendo un truco:

- *Me estás poniendo de mal humor.*
- *Me pones nervioso. Estate quieto.*
- *Dale un beso al abuelo que si no se pone triste.*
- *¡Qué vergüenza me das con esos piercing!*
- *No llegues tarde que me preocupo.*
- *Anda, recoge tus juguetes que así estoy contento y jugamos.*

Cuando te escuches diciendo expresiones de este tipo, trata de cambiarlas haciéndote tú responsable de lo que sientes. Si deseas expresar cómo te sientes, adelante, compártelo, pero desde tu responsabilidad. No es el otro el que ha de cambiar su conducta para que yo me sienta bien. **Sólo yo puedo cambiar mi actitud, no la de los otros**.

El truco está en volver una y otra vez a cómo estoy yo. Por ejemplo, podríamos decir:

- *¡Buff!, me estoy enfadando o me estoy poniendo de mal humor.*
- *Me pongo nervioso, me gustaría que dejaras de hacer ese ruido, por favor.*

- *¿Le das un beso al abuelo?*
- *No me gusta ese piercing.*
- *Me preocupo cuando llegas tarde.*
- *Me encanta verte ordenar los juguetes.*

Otro aspecto significativo de este *"cada cual se ocupa de lo suyo"* es el modo en que a veces practicamos la atención plena con los otros, especialmente si son niños o jóvenes. Por ejemplo, cuando los padres me piden ejercicios para practicar *Mindfulness* con sus hijos, a veces ellos no lo practican, sólo los enseñan. Me dicen que les han leído el cuento **Un Bosque Tranquilo** pero a la hora de hacer las prácticas esperan que los niños las hagan solos.

O cuando tras un taller explicas que pueden hacer en casa la práctica de las *"piedritas"* para guiar las respiraciones (*ver actividades en* **Un Bosque Tranquilo**), al final resulta que sólo lo hacen los niños mientras que los padres vigilan que sus hijos lo hagan.

La práctica de la atención plena de ningún modo implica vigilar al otro, ni del maestro al discípulo, ni del padre al niño. Implica compartir lo que uno practica e invitar a que el otro lo haga y cada cual decide en qué medida ha de hacerlo.

El mejor modo de que un niño practique la atención plena es que sus padres la practiquen.

Y si este no es el momento, ya llegará, si es que ha de llegar.

Hay que aclarar que el que "cada uno se ocupe de lo suyo" no va de la mano del egoísmo, en absoluto, pero sí de la mano de educar al otro para que sea responsable y que viva la vida que ha de vivir.

Cada uno hace sus propias elecciones y decide qué camino tomar y si deseamos que nuestros hijos sean responsables, que luchen por lo que desean y por tener la vida que sueñan, hemos de hacerlo desde el principio.

Si ellos ven que no nos hacemos responsables de nuestras emociones, ¿cómo lo van a hacer ellos?

Si ellos ven que no practicamos con ellos, ¿cómo lo van a hacer ellos?

Si ellos sienten que no aceptamos la vida que ellos tienen, con sus intereses, con sus gustos, con sus inclinaciones, ¿cómo lo van a hacer ellos?

> Si educas a tu hijo en la responsabilidad, sentirá que se confía en él, y podrá confiar en sí mismo y en sus posibilidades.

El Hada habla a los niños

La práctica del *Mindfulness* nos ayuda a responsabilizarnos de nuestras vidas.

·········· Imagina esta historia ··········

- Estás en clase y la profe os va a enseñar cómo meditar. Os explica cómo os tenéis que sentar, os pide que cerréis los ojos y que os quedéis en silencio mientras escucháis el sonido de un cuenco tibetano.
- Tú tienes los ojos cerrados, pero comienzas a escuchar las risas de algunos compañeros.
- Tu mente comienza a hablar -¡A ver si se van a estar riendo de mi!. ¡A ver si resulta que nadie más que yo lo está haciendo!-,
  entonces abres los ojos y sin saber por qué, te ríes también.
- La profesora, al terminar la meditación, comenta qué tal ha ido la práctica. Y dices:

- Yo no pude hacerlo porque Pablo me hizo reír.
- ¿Quieres decir que si Pablo hubiera estado callado tú no te habrías reído?
- Sí -*respondes*-. Ha sido su culpa.
- Entonces, ¿estás diciendo que tu risa o tu seriedad dependen de lo que haga Pablo? -*pregunta la profesora*-.
- Mmmm...sí.
- ¡O sea que Pablo es el dueño de tu risa! ¿Según lo que él haga, así actúas tú?
- No -*respondes pensativo*-, no es eso profe.

Reflexiona

- ¿Qué opinas sobre esta historia?
- ¿Te has sentido así alguna vez? ¿Esto te ha pasado a ti?
- ¿Crees que el otro tiene poder sobre ti?
- ¿Qué podrías hacer para cambiar esto? ¿Qué has descubierto?

9. NO QUIERE HACER LOS DEBERES

Hay niños que hacen los deberes y estudian sin que sea necesario decírselo. Esto es una delicia. Pero hay otros que no, que por diversos motivos que no vienen al caso y que no siempre son fáciles de averiguar, no quieren hacer los deberes.

Muchas veces hay cierta resistencia porque están en una edad complicada por situaciones diversas o porque los chicos no se sienten motivados. No es mi intención el buscar las posibles causas, pero sí ver cómo afrontamos estas situaciones con una actitud atenta, consciente y en la que podamos observar cómo la práctica de *Mindfulness* nos ayuda a enfrentarnos a estas situaciones que tanto contaminan la convivencia en casa y que a veces adquieren demasiado protagonismo.

Las discusiones por los deberes tienen un protagonismo en las familias que no tienen otras actividades, como compartir una cena, una película o un juego.

Si midiéramos el tiempo que algunas familias le dedican a las discusiones por motivos de estudio nos quedaríamos más que sorprendidos, especialmente si lo comparamos con el que se dedica a jugar o a reír.

Los niños llegan a casa con una lista de deberes y temas que han de estudiar y a veces no quieren hacerlos. Su madre insiste pero nada, no hay manera, por lo que entran en escena todo tipo de "chantajes" y negociaciones, como la de "premiar por puntos", metodología que algunos aconsejan y en la que cada día que estudie tiene un punto y al cabo de "x" puntos se obtiene determinado premio o refuerzo.

El niño de nuestro ejemplo conoce todo esto y no tiene intención de sentarse.

Lo primero que ha de hacer el padre es observarse y preguntarse a sí mismo, como venimos diciendo durante todo el libro, *-¿cómo me siento?, ¿qué emoción se despierta en mi ante esta situación?, ¿qué pienso acerca de esto?*

Seguro que alguna vez te has enfadado y pensado: *-Esa profesora... Voy a ir a hablar con ella y voy a protestar. No se puede pedir que los niños hagan tanto. Están ya muy cansados del cole-.*

Pensar esto es lícito, y como digo, no serás ni el primero ni el último, pero lo interesante es *¿qué hay detrás de ese pensamiento y de esa emoción de ira? ¿Pretendes que tu hijo se agobie menos? ¿Pretendes sentirte tú mejor al ver que tu hijo sufre menos? ¿Pretendes con esa reacción librarte de un problema?, o ¿realmente piensas y sientes que son demasiados deberes para un niño de la edad de tu hijo?*

Esta reflexión es muy importante porque recuerda, **lo que tú sientas, se lo vas a trasladar a tu hijo.** No importa tanto lo que hagas como lo que digas. Si sientes que es injusto que tenga que hacer tanto trabajo en casa, tu hijo no lo hará. **Los niños tienen una sensibilidad especial y captan todo, aunque no sean conscientes de ello.**

Algunos os estaréis diciendo ahora: *-¡O sea, que la culpa es nuestra!-* No, en absoluto. A estas alturas del libro ya sabes que no somos

"Lo que tú sientas
se lo vas a trasladar a tu hijo".

responsable de nuestras emociones ni de nuestros pensamientos, **pero sí que podemos cambiar nuestra actitud.**

¿Cómo?
• En primer lugar, dándote cuenta de ello. Cuando tomas consciencia de todo lo que acontece dentro de ti, ya tienes mucho trabajo hecho.

• En segundo lugar, y recuerda que te hablo desde la perspectiva de *Mindfulness*, decidiendo tú lo que quieres hacer. Tú eres el padre. Tú decides qué educación le deseas trasladar a tu hijo. Cuando puedes conectar con tu propio criterio educativo desde la consciencia, puedes tomar decisiones conscientes y hacerte cargo de las responsabilidades de esas decisiones.

• En tercer lugar, ayudando a tu hijo a que haga el mismo proceso. Pregúntale cómo se siente, cómo está su cuerpo, qué emociones tiene, y si tiene más de 8 años, qué es lo que está pensando y por qué no quiere hacer los deberes. Seguro que aparece información muy relevante de estas preguntas.

• Para finalizar y en función a las respuestas que te dé, ayúdale a tomar sus propias decisiones y recuerda que **has de aceptar la decisión**

de tu hijo. Si decide no estudiar y no hacer los deberes, habrá consecuencias, (las que tú decidas o las que haya en el colegio).

No estoy diciendo que cada niño haga lo que quiera, sin límites. Estoy hablando de que toda decisión, tiene consecuencias. Lógicamente el padre ha de estar presente, y ha de guiarle para que comprenda la necesidad de cumplir con su obligación. Pero es un riesgo que **él** decide tomar. No importa lo pequeño que sea. Las consecuencias serán suyas y no tuyas. Esto

no será fácil y mucho menos al principio, ya que detrás de estos conflictos hay muchas motivaciones escondidas que tienen que ver tanto con los padres como con los hijos.

Muchas de estas motivaciones están relacionadas con la necesidad de atención por parte del hijo, otras veces es el padre el que desea ser necesario. Como digo, este tipo de conflictos no son fáciles de trabajar por uno mismo y es probable que a veces se necesite de ayuda, lo que sería totalmente sano y normal.

Antes de hacer los deberes, dedica unos momentos a respirar como hace el niño. Esto te ayudará a estar más atento y a distraerte menos.

En nuestra página de Facebook y de Instagram puedes encontrar muchas más ilustraciones como esta que te ayudarán a llevar *Mindfulness* a tu día a día.

 https://www.facebook.com/unbosquetranquilo

 https://www.instagram.com/un_bosque_tranquilo

El Hada habla a los niños

Aquí os enseño una meditación* para ayudar a sentarte y hacer los deberes después del cole.

Verás que además de hacer los tareas, te dará tiempo de jugar.

Nota: también sirve para niños que se distraen constantemente al hacer los deberes.

LA MEDITACIÓN DE LOS DEBERES [4]

- Cierra los ojos, toma una respiración profunda y deja salir el aire lentamente.

- Imagínate que vas a hacer tus deberes.

- Imagínate que coges tu mochila, que está exactamente donde se supone que debe estar.

- Te sientas donde sueles hacer tus deberes, que es un lugar tranquilo y donde puedes concentrarte fácilmente.

- Abres la mochila, sacas tu agenda y miras los deberes que debes de hacer. Decides entonces por dónde comenzar.

- Cuando tu mente comienza a pensar en salir a jugar fuera, en llamar a un amigo o a tu hermano, di *"ahora no"* y prepárate para comenzar tus deberes. ¿Vas a hacer ciencias o matemáticas? ¿O lengua? ¿Necesitas leer algún capítulo de un libro? Imagínate que estás haciendo lo que necesitas hacer, lo que hace falta que hagas.

[4] Traducción y adaptación del original en inglés. Burdick, D. (2014). *Mindfulness skills for kids and teens.* PESI Publishing and Media. Eau Claire. WI. USA

¡cAhora no!
Estoy estudiando

💮 *Cada vez que tu mente piense en algo diferente a los deberes, en algo diferente a lo que estás haciendo, dile "ahora no" y recuérdate a ti mismo que estás haciendo los deberes.*

💮 *Si tu cuerpo desea moverse, levantarse o te das cuenta de que estás jugando con un lápiz, por ejemplo, di "no, ahora no" y piensa en los deberes que estás haciendo.*

💮 *Si suena el teléfono, di "no, ahora no" y permite que dejen un mensaje.*

💮 *Si te llega un mensaje o un WhatsApp, di "ahora no", lo miraré más tarde.*

💮 *Si tu hermano te habla, dile "no, ahora no". Estoy estudiando o haciendo mis deberes y lleva tu atención de nuevo a tu tarea.*

💮 *Cada vez que tu mente se vaya, date cuenta, para, y di "no, ahora no", y vuelve. Observa lo que piensas y déjalo ir. Vuelve, vuelve una y otra vez a lo que estás haciendo, a tus deberes, a tu estudio.*

Es increíble la cantidad de deberes que has hecho ya, ¡y muy rápido! Ahora que eres capaz de decir a tus pensamientos "ahora no" y de volver de nuevo a tu trabajo, parece que el tiempo te cunde mucho más.

Ahora controlas tus pensamientos. Eres el responsable de lo que piensas.

💮 *Cuando hagas los deberes, deja que tu mente se entere, que se dé cuenta de que es el momento de pensar sólo en hacer los deberes y en nada más.*

💮 *Dile "no, ahora no" a cualquier otro pensamiento hasta que termines lo que tienes que hacer.*

💮 *¡Genial! Ahora imagína que tus deberes están terminados.*

💮 *Abre tus ojos y vuelve a llevar tu atención a esta habitación.*

¡Felicítate por ello!

Dibujate estudiando o haciendo los deberes, ¿a qué es divertido?

Reflexiona

- ¿Por qué te cuesta tanto hacer los deberes?
- ¿Sientes que te distraes?
- ¿Has hecho la meditación de los deberes? ¿Te ha ayudado?

La próxima vez que te des cuenta de que no deseas sentarte a hacer los deberes, observa:

¿Cómo está tu cuerpo? Tal vez esté tenso, cansado, con hambre, con sed, etc. Tal vez sientas tensión en la tripa, en la garganta, te duela la cabeza o tengas sueño. Date cuenta de todo esto y si hay algo que puedes solucionar, soluciónalo.

¿Cómo te sientes? ¿Qué emoción hay en ti? ¿Enfado porque no deseas hacer los deberes y lo que quieres es jugar o ver la tele? ¿Miedo porque no sabes hacerlos? ¿Estás triste y por eso te cuesta sentarte?

Cuéntales a tus padres cómo estás en ese momento y habla con ellos. Diles lo que te ocurre y si necesitas ayuda, pídesela.

Acuérdate de que si no haces los deberes, **será tu responsabilidad y no la de tus padres**.

Y recuerda la meditación que acabas de leer. Te ayudará a hacer las cosas rápidamente y descubrirás algo importante: ¡Te dará tiempo a todo!

10. ¿QUIERES ESCUCHAR LO QUE TE ESTOY DICIENDO?

Una de las grandes pesadillas de los padres: -*¿Por qué no me escuchas?*-. ¿Por qué nuestros hijos no escuchan frases como -*recoge tus zapatos, haz la cama, haz los deberes*-, y sin embargo contestan inmediatamente a frases como -*vamos al cine, te compro chuches o hoy hay peli de dibujos?* ¿Será uno de los grandes misterios de la humanidad?

Pues no. Y es que **el ser humano escucha a nivel inconsciente lo que le interesa**. Es un modo de filtrar la información que nos llega, de otro modo no sería posible hacer frente a la gran cantidad de estímulos que recibimos a la vez.

Este filtro que funciona de modo inconsciente, que hace que oigamos unos mensajes y otros no, tiene mucho que ver con el ruido interior que tengamos. Si nuestro cuerpo o nuestra mente nos están "hablando" mientras otros nos hablan, no vamos a poder escuchar bien; es decir, si mi cuerpo me está diciendo bien alto que tiene hambre o que le duele la

cabeza, no voy a poder escuchar un mensaje "aburrido" como el de recoger mi cuarto. Si mi mente me está diciendo que mañana mi papá se va de viaje y no voy a verlo en una semana, lo cual produce tristeza en mi interior, va a ser complicado que escuche a mi madre preguntarme qué deseo para cenar.

> Cuando mi hijo no escucha lo que le digo, es porque está escuchando, consciente o inconscientemente algo a la vez.

Y es que, simplemente, no podemos oír dos mensajes simultáneamente.

La atención auditiva, la atención a lo que me dicen, se entrena, igual que se pueden entrenar todos los aspectos que hemos comentado hasta ahora. **Escuchar lo que me dicen no es más que estar en el presente, con lo que ocurre aquí y ahora.**

Dicho esto, seguramente habrás llegado a la conclusión de que tus esfuerzos para que tu hijo te escuche, si continúas haciéndolo como hasta ahora, son en vano.

Te planteo las siguientes preguntas, que puedes responderte la próxima vez que tu hijo no te escuche:

- ¿Estás en la misma habitación?
- ¿Te estás dirigiendo a él, directamente, explícitamente?
- ¿Qué está tu hijo haciendo en el momento en que le mandas el mensaje?
- ¿Estás seguro de que deseas pedirle lo que le estás pidiendo?
- ¿Eres tú un ejemplo de lo que le estás pidiendo?

No sería la primera vez que un padre/madre entra en casa con sus hijos, con las mochilas, con los abrigos, con la ropa de deporte, y antes de quitarse su propio abrigo dice: -¡Venga, ahora todos a la ducha!-, mientras cierra la puerta, deja las llaves en su lugar y se agacha para recoger algo tirado en el suelo.

Si lo piensas y lo visualizas, es muy cómico:
• No te diriges a ellos
• Les mandas un mensaje que no les atrae, porque seguramente su mente les está hablando y les dice algo más atractivo, como -¡qué gusto que estoy en casa!-.

• Están cansados y seguro que tienen hambre o ganas de ir al baño, de modo que están pendientes de otros mensajes de su cuerpo.
• Cuando terminas tu frase, es muy probable que ya estén en la otra punta de la casa. Y si han podido oírte, tu cuerpo no les estaba hablando porque estabas agachado, así que no se han dado por aludidos.
• Y algo importante: ¿tú te vas a bañar? **El ejemplo es importante,** y no quiero decir que tú tengas que bañarte al llegar a casa todos los días, pero sí que integren ciertos hábitos viéndo que normalmente tú también los haces.

En definitiva: ellos no nos escuchan pero ¿y nosotros? ¿y tú? ¿los escuchas tú? ¿te estás escuchando a ti mismo?

No podemos educar en la consciencia si nosotros no la tenemos.

Te propongo la siguiente toma de consciencia o práctica de *Mindfulness*. **La escucha consciente.**

Siéntate con tu hijo y pídele que te cuente algo. Pregúntale por su día. Dile que te cuente un cuento, lo que sea, o mantén una conversación con él, pero que sea una conversación consciente.

Mientras él te habla, regálale tu presencia. Escúchalo. Sólo tienes que hacer eso. Cuando te descubras pensando en otras cosas, o incluso juzgando lo que te está contando, obsérvalo y

déjalo pasar y vuelve una y otra vez a escuchar. **Esta es la escucha consciente**.

Permanece presente al mensaje **de tu hijo.**

Este es el primer paso para que tu hijo escuche. Y no te preocupes. No serías el primer adulto que se da cuenta de que él mismo no escucha a sus hijos. No pasa nada. Todos estamos aprendiendo.

Además, cuando vayas practicando, verás que es una tranquilidad absoluta lo de escuchar a otro sin tener que hacer nada más. Ni siquiera tienes que dar un consejo. En la mayoría de los casos no los buscan. Sólo desean contar, expresar, compartir. **Es su regalo hacia ti y tu presencia es el tuyo hacia ellos**.

Si tu hijo es mayor, de unos 10 ó 12 años, puedes intentar un paso más. Decidid un tiempo, por ejemplo 4 minutos, durante los cuales uno habla, cuenta lo que desea y el otro sólo escucha, no puede decir ni expresar nada. Al cabo de los 4 minutos, se cambian los papeles, el que hablaba sólo escucha y el que escuchó ahora habla, ¡te sorprenderás!

Por cierto, es una buena herramienta para experimentar también en pareja.

El Hada habla a los niños

¡Atención con los dibujos animados!

 Puede parecer una locura o tal vez una estupidez, pero continúa leyendo y tal vez cambies de opinión o te animes a probarlo.

Sabemos que cuando deseamos instaurar un hábito hemos de comenzar poco a poco y hemos de hacerlo atractivo. En este caso lo que deseamos es que nuestro hijo practique la escucha consciente, es decir, que escuche con atención a lo que se le está diciendo. Cuando se distraiga, ha de ir desarrollando la capacidad de darse cuenta y de volver de nuevo al mensaje verbal que se le da.

Si tratamos de entrenar su receptividad para que escuche nuestras órdenes, las cuales no suele escuchar porque no las desea cumplir, va a ser un poco complicado, pero ¿y si lo que tiene que hacer es ver un capítulo de su serie de dibujos animados favorita y después contarnos el capítulo? Esto puede ser más interesante.

Es importante que no se sienta evaluado, así que puedes proponerle un juego en el que vais a ver los dibujos juntos y al terminar el capítulo, tendréis que explicar o reproducir lo que ocurrió, o si estás ocupada puede ser él o ella quien vea los dibujos y que después te los cuente a ti.

De este modo se practica la escucha consciente de un modo divertido, manteniendo la atención en el presente, una y otra vez.

Vamos a poner un capítulo de tu serie favorita y vamos a jugar después a las adivinanzas. Papá o mamá te preguntará algo sobre el capítulo y después tú se lo preguntas a ellos..

 Reflexiona

Tras ver el episodio en silencio, se intercambian las siguientes preguntas:

- ¿Cómo se llaman los personajes?
- ¿Qué les ocurre?
- ¿Cómo empieza el capítulo?
- ¿Cómo termina?
- ¿Has notado que te distraías y que pensabas en otra cosa?

II. SIEMPRE SE OLVIDA LA AGENDA EN EL COLE

¡La otra gran pesadilla, la agenda! Quien dice la agenda dice la mochila o el libro de inglés. Son sólo ejemplos de lo que nuestros hijos se olvidan en el cole. Ante los olvidos recurrentes del material escolar, lo primero que uno ha de plantearse es el posible motivo de tales olvidos. No suele darse el que a un niño de buenas notas se le olvide la agenda, o que a un niño al que le gusta leer se olvide del libro en el cole.

Los olvidos son consecuencia de que la atención del niño no estaba donde debía de estar. Es posible que ande distraído con problemas o que tenga dificultades para centrar la atención.

Todas las situaciones suelen ser muy similares a la descrita a continuación:

- Tu hijo llega del colegio y tú le pides que se siente a hacer los deberes, además la profesora ha insistido en que cada día se ha de sentar un ratito ya que es muy importante que adquiera esa rutina.

Estas frases de la profesora caen en ti como una mezcla de presión y de responsabilidad, y de algún

> Cuando tu hijo se olvide la agenda, olvídate de la profesora y del futuro de tu hijo. Céntrate en ti y en tu hijo en ese momento.

modo sientes cómo tu papel de padre/madre se ve cuestionado, de modo que con esa carga le dices a tu hijo que saque la agenda para ver qué tiene que hacer, pero esta no aparece. La buscáis entre los dos, incluso vaciáis varias veces la mochila, como si de pronto la agenda fuera a aparecer, pero no, la agenda no aparece.

Estas situaciones suelen abordarse cargadas de una multitud de pensamientos y emociones confusas, como por ejemplo:

- **La familia que cae presa del miedo y de la ansiedad**. No se sabe quién tiene más miedo, el adulto o el niño. -*¡Ay, madre! ¡Nos va a matar la profesora! ¿Cómo es posible? Hay que llamar a tu compañero para que nos diga lo que hay que hacer*-. La mente de la madre, aunque ha dado con una solución, no para de lanzar frases del tipo: -*Va a pensar que eres una mala madre*- o -*¿tendrá mi hijo déficit de atención?*-

- **Está la familia que cae presa de la ira**. El padre, presionado por mensajes de su mente, le dice a su hijo que es un despistado, que no va a llegar a nada, que es un vago o que no se preocupa por sus cosas, que es un irresponsable. De manera que cae la gran bronca, a menudo terminada con un -*"arréglatelas como puedas y además este sábado no iremos al cine"*-.

- **La reacción consecuencia de la sobreprotección**, en la que se dice a la profesora que su hijo ha estado enfermo.

- **La reacción pasiva**, en la cual simplemente se cierra la puerta del cuarto del hijo y se le dice fríamente que -*"allá se las apañe"*-, etc.

Sea cual sea la reacción, todas tienen en común eso, que son reacciones. Son reacciones inconscientes y buscamos respuestas conscientes. ¿Qué significa esto?

Lo primero, como adulto debes tomar consciencia de cómo te sientes, de cómo te sientes en ese momento en que tu hijo no encuentra su agenda. Ya sé que es tu hijo quien se la ha olvidado, pero tú ¿cómo te sientes?

Puedes sentir **rabia** porque se la ha vuelto a dejar, o puedes sentir **compasión** por él porque lo ves preocupado y nervioso, o incluso temeroso. Te pueden llegar pensamientos diversos que te cuestionan o juzgan como padre -*qué estoy haciendo yo mal para que mi hijo sea tan despistado*- o que te hagan **dudar** sobre las posibilidades futuras de tu hijo -*¡a dónde va a llegar este chico si no es capaz de traerse los deberes!*-.

Has de recordar que todos tenemos emociones, pensamientos e incluso sensaciones físicas ante una determinada situación que si las observas, también te ayudarán a tomar consciencia de tu momento (recuerda los primeros capítulos de este libro), de modo que:

Toma consciencia de cómo te sientes y sólo a partir de observar y aceptar cómo estás tú, observa a tu hijo.

Sólo así te darás cuenta de su situación, con distancia. Tú ya no estás atrapado en la red. Ahora sólo está tu hijo.

Sólo se puede ayudar desde la distancia y no desde dentro.

Entonces, desde la distancia, decide qué hacer, pero decide desde la consciencia. Yo te doy algunas opciones, pero hay miles de alternativas.

• Puedes sugerirle que llame a un amigo y le pregunte los deberes.

• Puedes preguntarle cómo se siente ante estos despistes.
• Puedes preguntarle cómo se siente en ese momento.
• Puedes preguntarle si le gustaría poner remedio y si desea que tú le ayudes.
• Puedes preguntarle si se la olvida adrede porque así no tiene que trabajar.
• Puedes preguntarle si anda preocupado por algún tema, etc.

En realidad, también puedes decidir dejarlo a él, ya que es su responsabilidad. Recuerda que este libro no es para decirte lo que has de hacer, sino para ayudarte a que seas tú quien decida qué hacer, **siempre desde la consciencia y no desde los automatismos**.

Ninguna opción es buena o mala si sale de tu corazón.

El Hada habla a los niños

Leed la siguiente historia:

Marta ha llegado del cole con su papá. Su papá le ha hecho un bocadillo riquísimo, y cuando se lo termina, le dice que vaya a hacer los deberes, que ahora irá él por si necesita ayuda.

Marta se va a su cuarto, saca su cuaderno, su libro y de repente: -¡No! ¡No está la agenda! ¡Habría jurado que la había metido!

Marta comienza a sentir mucho calor en la cara y siente algo extraño en la tripa, como cuando le dan un susto. Está nerviosa y con algo de miedo. Piensa: -¡Ay! ¡Mi papá me va a regañar! Ya es la segunda vez esta semana que se me olvida la agenda-.

Su papá entra en su habitación y le pregunta si necesita algo. Ve a Marta colorada buscando en la mochila y se da cuenta de que está nerviosa.
-¿Qué ocurre Marta?-, le pregunta.
-¡Ay papá! Me he dejado la agenda, pensé que la había metido. ¿Y si la he perdido?

Su padre, antes de hablar, se para. Él sabe que esta situación es crítica. Ha ocurrido en muchas ocasiones y a veces se les ha ido de las manos, de modo que lo primero que hace es pararse, hacer una respiración profunda y observar cómo se siente. Después, observa a Marta y se da cuenta de que su hija está muy preocupada, así que le dice **con mucho cariño y tranquilidad**:

-Veo que estás muy preocupada y seguramente tienes miedo de lo que te pueda decir la profesora. Parece que aquí no está. ¿Qué puedes hacer para solucionar el problema?

-¡Pues no lo sé! ¡Ayúdame, que para eso eres mi papi!

El papá se queda en la habitación de Marta, la observa y Marta más enfadada le dice:

-¿En qué piensas papá?, ¿qué hago, qué hago?

El papá ve que esto se está complicando y no desea ponerse a gritar, así que le dice:

-¿Te acuerdas de lo que contaba **El Hada Atención Plena** de *Un Bosque Tranquilo*? Nos decía que respiráramos cuando nos sintiéramos enfadados o nerviosos, ¿lo hacemos? Seguro que podemos seguir buscando la agenda dentro de unos minutos.

Así que los dos se sientan, se ponen las manos en la tripa, cierran los ojos y respiran unas cuantas veces, despacito, y al poco tiempo Marta dice:

-Papá, voy a llamar a Pablo que seguro que él sabe los deberes.

Reflexiona

- ¿Qué te ha parecido?

- ¿Te has dejado algo en el cole alguna vez? ¿Recuerdas cómo te sentiste?

- Cuando estás enfadado o nerviosos, ¿a veces gritas a tus padres?

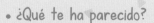

Te propongo esto:

La próxima vez que te olvides algo en el cole, díselo a tu padre o a tu madre cuando te des cuenta, y además les dices cómo te sientes. Por ejemplo: -"Mamá, acabo de darme cuenta de que me he olvidado la agenda en el cole y me siento muy enfadado, me da mucha rabia y además me estoy poniendo muy nervioso"-. Después, podéis sentaros ambos unos minutos a respirar conscientemente y cuando os sintáis más tranquilos, seguro que se os ocurre una solución, **¿y sabes qué será lo mejor?**, que no os habréis gritado :-)

12. ¡UNA RABIETA EN EL SUPERMERCADO!

Es una situación terrible ya que se acentúa por el hecho de estar en un lugar público. Situación: *"Has ido a la compra con tu hijo y como no le compras lo que desea, se pone a llorar, después a gritar y al final se tira al suelo. Siempre hace esto y sabe que como en muchas ocasiones ha sido efectivo, le funciona".*

Tu mente comienza rápidamente a emitir juicios:

- -*"¡Qué vergüenza!".*
- -*"Van a pensar que lo mal educo".*
- -*"Igual piensan que le he pegado".*

Al final, en la mayoría de los casos, le compras lo que desea, aunque también puedes decidir echarle una bronca y marcharos a casa sin la compra. Como comentaba en otros capítulos, siempre respuestas procedentes de reacciones inconscientes.

Cuando esto ocurra, **no ordenes respirar**. Puede parecer un chiste, pero no lo es. No sería la primera vez que cuando un niño tiene una rabieta, un adolescente tiene un ataque de genio o una niña un enfado descontrolado, el adulto, nada calmado por cierto, le dice, incluso gritando -*¡Respira!*-

No te preocupes si te ha ocurrido, no eres la única persona a la que le ocurre esto.

Ante un hecho de este tipo, lo primero que debes hacer es calmarte tú. Si tú no estás calmado, no puedes calmar a otro.

De modo que párate un instante y toma aire. Trata de hacer una respiración profunda, llevando el aire hasta la tripa, después rellenando la zona del pecho, e incluso llenando casi hasta las clavículas. Expulsa el aire, despacio, tratando de hacer esta expulsión larga. Esto te va a

calmar y, de algún modo, te va a llevar a hacer una pausa, lo que a su vez te lleva a salir de la situación de estrés. Entonces, desde ahí, sí podrás acompañar a tu hijo.

Acompañar significa estar junto a otra persona, así que **lo más importante que has de hacer es estar junto a tu hijo.** Tal vez tengas que acompañarle sin hacer nada, o tal vez yéndote de su lado. Acompañar puede implicar colocar las manos de tu hijo en tu tripa, para que sienta tu respiración, o puede implicar tomarle en brazos, aunque al principio seguramente se resista, o puede implicar que te sientes a su lado, o alejarte de él.

Lo cierto es que no hay recetas porque afortunadamente todas las situaciones, las relaciones y las familias, son diferentes. Así que habrás de ser tú quién tras calmarte, **escuche tu intuición y hagas lo que sientas en ese momento.**

Ante una rabieta en el supermercado, olvídate de que estás en un lugar público.

Olvídate de que estás en un lugar público. El hecho de estar en un lugar público hace que nuestra mente comience a trabajar rápidamente y nos diga todo tipo de cosas, ninguna positiva; por eso, céntrate en tu respiración, sólo siente tu respiración y piensa en tu hijo. Acompáñale. Acércate a él. Pero no pienses, o mejor dicho, no

hagas caso a tu mente, que te llevará una y otra vez a pensamientos y a juicios que no te ayudarán.

Cuando acompañamos a alguien
hemos de hablar lo menos posible.

No agobies a tu hijo con preguntas del tipo "¿Quieres una galleta?", "ven que te compro ese juguete", "toma el chupete", etc.

Es cierto que a veces este tipo de frases tiene un efecto inmediato, pero no son en absoluto adecuadas para el futuro desarrollo de tu hijo.

Tu hijo aprenderá que si tiene una rabieta, consigue lo que desea, porque su madre teme las rabietas en el supermercado más que a nada en el mundo. Tu hijo se ha hecho poderoso, muy poderoso.

Lo que queremos es que tu hijo aprenda a superar la frustración, el malestar. Con nuestra presencia, pero por sí mismo. De este modo, le trasladamos que no pasa nada por sentirse frustrado, todo va a pasar.

Cuando acompañamos desde el silencio, el acompañamiento es más cercano. Simplemente sitúate en su lugar. Si tú tuvieras un momento crítico, ¿te gustaría que alguien te hablara nervioso?

En resumen:
- **Cálmate tú, con una o dos respiraciones profundas.**
- **Olvídate de que te encuentras en un lugar público.**
- **Escucha tu intuición para acompañar a tu hijo del modo que tú sabes.**
- **Háblale lo imprescindible, para no agobiarle.**

El Hada habla a los niños

Leed la siguiente historia:

Había una vez ua niña que se llamaba Matilda. Matilda estaba un poco cansada, porque ya había estado en el cole y ahora, que por fin llegaba el momento de ir a casa a merendar y a jugar con su mami y con su papi, resulta que había que ir a la compra.

Ir a la compra a veces es divertido -pensaba Matilda- porque te compran cosas ricas, de esas que dicen que no son sanas, pero que están buenísimas, como los bollos rellenos de chocolate, pero otras veces es un rollo, no te compran nada y tienes que estar ahí esperando a que mamá acabe.

Así que en fin, Matilda se sintió un poco enfadada porque tenían que pasar por el super y claro, cuando pasaron por la zona de las galletas, se las pidió a su madre.

Su madre le dijo que no podía ser hoy, que no había llevado tanto dinero y además ya había merendado y pronto habría que cenar, así que Matilda se puso a gritar, a gritar muy fuerte para que todos lo oyeran y así su mamá tuviera que comprarle las galletas.

Sin embargo, su mamá que era muy buena y muy sabia, le dijo con cariño:
- Vamos, Matilda. Sé que estás cansada porque has ido al cole y tenías ganas de estar en casa. Seguro que querías jugar con tus juguetes, o conmigo y con papá, y además no te he comprado las

galletas que tanto te gustan. Sabes que otro día las compraremos.

Y se quedó a su lado hasta que la niña dejó de llorar, incluso le hacía alguna caricia en la espalda. Al principio Matilda se enfadaba más y más, pero su mamá no perdió la paciencia y le puso las manos en su tripa, comenzando a respirar como en *Un Bosque Tranquilo*.

A los pocos minutos, Matilda se calmó. Su mamá le dio un beso y le dijo: - Vamos, paguemos esto y vámonos a casa, ¿a qué te apetece jugar cuando lleguemos?

 Reflexiona

¿Qué te ha parecido?

- ¿Qué le podría haber dicho Matilda a su mamá cuando estaban haciendo la compra en lugar de tener una rabieta? ¿Crees que le podría haber dicho algo tipo: -"mamá, estoy cansada y tengo muchas ganas de llegar a casa para jugar contigo".

- ¿Alguna vez te ha pasado lo mismo que a Matilda? ¿Te has enfadado mucho porque querías que te compraran algo tus papás y te has puesto a gritar en el supermercado, en el médico, en el parque, etc?

 Te propongo que la próxima vez que te ocurra, le hagas caso a tus padres y les cuentes lo que te está ocurriendo. Acuérdate de este cuento.

Segunda parte

La segunda parte está dirigida a temas que dependen más de cuestiones relacionadas con la paternidad. El análisis se hace desde un punto de vista más de paternidad consciente que de introducción al *Mindfulness* y a la meditación en casa.

Temas como qué hacer cuando pierdo los nervios o cuando no sé qué hacer, son temas que tienen que ver con cómo afrontamos estos retos desde una toma de consciencia en la que nuestros hijos no participan debido a que la responsabilidad de su gestión es sólo del adulto.

Cuando yo, como madre/padre, pierdo los nervios, la responsabilidad de gestionar esto es sólo mía. Si incluyo a mi hijo, entonces le estoy dando a él la responsabilidad de su solución, le estoy otorgando a él el poder.

Y recuerda, lo único que puedo cambiar es a mí mismo. No puedo cambiar al otro y mucho menos las circunstancias que me rodean.

13. Y ENTONCES SE ME FUE DE LAS MANOS

Imagínate una situación en la que hayas perdido los nervios (tu hijo no quiere vestirse, ha llegado tarde a casa, ha dejado desordenado su cuarto...), lo ves y saltas, se te va literalmente de las manos. Entras en un bucle de ira, en el que cada grito parece activar y reactivar el siguiente. Quieres parar pero algo te lo impide.

Pues bien, esas pérdidas de control son reacciones inconscientes y automáticas, no son respuestas conscientes. Es como si tu cerebro creyera que esas situaciones generasen peligros de vida o muerte y entonces lanzara respuestas de ataque, de huida y de defensa desproporcionadas y descontextualizadas.

En realidad, no has sido más responsable de ese grito de lo que lo eres de saltar reflejamente cuando ves que un coche pasa a tu lado y te salpica. Esto se debe a que se activa una parte del cerebro (la amígdala), que es la responsable de las respuestas reflejas, de las que nos protegen cuando hay peligros.

Afortunadamente, en nuestra sociedad no se dan muchas situaciones en las que nuestra vida peligre y sin embargo, por algún motivo, esta zona está en alerta y reacciona.

La investigación con meditadores ha puesto de manifiesto que las personas que meditan tienen más inhibida la amígdala, lo que facilita el que responda la zona que ha de responder, es decir, la **corteza prefrontal** (situada detrás de la frente). **Esta es la zona más evolucionada del cerebro, y es la que nos permite reflexionar, planificar, tomar decisiones y organizarnos.**

Es decir, cuando practicamos meditación, la amígdala "se

duerme" y sólo actúa cuando se necesita, lo que permite que la señal exterior (ver el cuarto de mi hijo desordenado), llegue a la corteza prefrontal y nos permita decidir qué hacer, qué decir.

Lo que estamos viendo, por tanto, es que *Mindfulness* nos permite reaccionar inconscientemente menos, para comenzar a responder conscientemente más.

Te propongo un ejercicio:

Tomemos una situación cotidiana que a todos los padres les ha ocurrido alguna vez, por ejemplo la que comentábamos anteriormente

de que nuestro hijo ha dejado el cuarto desordenado y tú entras, lo ves, y le das un grito.

Responder a estas preguntas por primera vez no es tarea fácil. Nuestra falta de consciencia es tan grande que no sabemos cómo está nuestro cuerpo, ni nuestras emociones, ni nuestros pensamientos, pero con la práctica se va consiguiendo.

Practica con esta tabla durante unos días y observa lo que ocurre. Poco a poco irás siendo más consciente de lo que te ocurre, aunque sea a posteriori, y poco a poco comenzarás a sentirte más serena/o.

Lo que te propongo es que te pares y observes:
• Qué sensaciones físicas tienes.
• Qué emociones sientes.
• Qué pensamientos observas.
• Qué hago
• Cómo me siento después

SITUACIÓN	MI CUERPO	MIS EMOCIONES	MIS PENSAMIENTOS	ACCIÓN	DESPUÉS
Mi hijo ha dejado el cuarto completamente desordenado	*Tensión en la cara *Calor	Rabia, enfado	Estoy harta No lo soporto ¿Y por qué su padre no se ocupa de esto?	Le doy un grito y le digo: -¡Eres un desordenado! ¡No te voy a hacer la cama nunca más!" -	*Me arrepiento *Me siento culpable

🪷 <u>Cuando reaccionamos inconscientemente</u>, actuamos sin darnos cuenta de cómo estamos, de modo que sería así:

Entre el estímulo y la respuesta ocurre que mi cuerpo tendrá sensaciones, aparecerán emociones, pensaré y desearé cosas, y todo ello **sin darnos cuenta**. Pasaremos de un estímulo a una respuesta de modo inconsciente.

🪷 La práctica de *Mindfulness* nos ayuda a llegar a este proceso:

Me gusta mucho puntualizar que la acción consciente no tiene por qué ser tranquila (aunque suele serlo). Insisto que en este libro no voy a decir qué acción es la correcta o la incorrecta. Aquí hablamos de lo que es consciente e inconsciente, por tanto es posible que conscientemente decidamos darle un grito a nuestro hijo sin perder los estribos, o tal vez seamos capaces de decirle asertivamente que eso no puede seguir así porque es una falta de respeto hacia las personas que viven con él, o que no es justo que deje sus cosas desordenadas para que otro las recoja, o que desde hoy has decidido no recogerle su habitación. Hay mil opciones, pero lo interesante de esto es que si lo haces conscientemente, **no te sentirás culpable y habrás sido responsable de lo que hayas hecho**.

Tras la *pérdida de papeles*, que ya hemos visto que es inconsciente, aparece algo peor aún: la culpa.

Como padres, la culpa que sentimos tras ese descontrol es terrible. No queríamos haber actuado así y sin embargo lo hemos vuelto a hacer, pero si lo pensamos, no podemos ser culpables de algo que hemos hecho sin querer, sin pensar; es decir, si lo hemos hecho involuntariamente podemos sentirnos muy mal por el resultado pero no tiene sentido el sentirse mal padre por ello. Esto no exime el hecho de tener que ser responsables de lo que hemos hecho y, por consiguiente, aceptar las consecuencias de nuestros actos.

Compréndete responsabilizándote, es decir, comprende que no eres más que un ser humano con reacciones y respuestas, algunas de ellas automáticas e inconscientes. Hazte responsable de tus acciones. Toma las riendas de tu vida, de tu maternidad/paternidad y decide buscar soluciones. En este caso, la solución que te propongo es la práctica de *Mindfulness*.

La culpa paraliza. No nos lleva a actuar o a solucionar lo que hemos hecho, al contrario, la culpa nos lleva a quedarnos quietos y a generar mucho odio hacia uno mismo.

Observa estos dos escenarios:

Situación

Una mujer llega de trabajar repitiendo el mismo formato de cada día, en piloto automático, inconsciente de cómo se encuentra. Ese día le tocaba a su marido ir a hacer la compra y ella le había pedido que comprara pescado para cenar. Va pensando en lo rico que va a estar ese pescado para la cena. Cenar eso es lo que más le apetece del mundo y además es "su plan".

Escenario 1

¿Cómo está la mujer cuando llega a casa?

- Estado físico de la mujer: hambre, cansancio físico.
- Estado emocional: triste, nerviosa.
- Estado mental: cansancio mental.
- Pensamientos que llegan con ella a su casa: -¡Dios mío! ¡Estoy muerta! Al menos tengo ese pescado para cenar. Ceno y me voy a la cama-.

Abre la puerta y a su marido se le ha olvidado comprar el pescado.

Reacción probable de la mujer: Se enfada con su marido, grita, incluso se pone a llorar. Posibles frases como estas salen de su boca: ¡Es que se te olvida todo! ¡Todo lo tengo que hacer yo! ¡Encima creo que me van a echar!, ¡hoy me he confundido en el trabajo y ha sido horrible! ¡Y ahora esto! ¡Estoy harta! ¡Me voy a la cama!

Escenario 2

Antes de abrir la puerta, se para y observa:

- ¿Cómo me encuentro?: hambre, cansancio físico.
- ¿Cómo me siento?: triste, nerviosa.
- ¿Qué pensamientos tengo?: -¡Dios mío! ¡Estoy muerta! Al menos tengo ese pescado para cenar. Ceno y me voy a la cama-.

Toma consciencia de todo esto, lo observa, no lo juzga, no lo evita, lo acepta. Se da cuenta de que no está en su mejor momento y toma 3 respiraciones conscientes.

Abre la puerta y a su marido se le ha olvidado comprar el pescado.

Seguramente no le guste pero probablemente no reaccionará del mismo modo que en el escenario anterior porque digamos que "ya no estará montada en un caballo desbocado". Ya sabe cómo está, ya lo ha gestionado y el simple, aunque no tan simple, hecho de darse cuenta, cambia su respuesta. ¿Qué es lo que pasa aquí? **Que la reacción inconsciente se convierte en respuesta consciente.**

Es increíble cómo el mero hecho de pararnos a observar modifica nuestra conducta. Si no te lo crees, no pasa nada. Te invito a que lo pruebes.

14. TOMA DISTANCIA

"*El pez no conoce el agua hasta que no sale de ella*". Debemos tomar distancia para ver las cosas con perspectiva. Y en lo que a nuestros hijos se refiere, es como un inmenso mar.

Estamos tan implicados emocionalmente y estamos tan fusionados, que para bien o para mal actuamos de un modo completamente inconsciente.

Esta inconsciencia seguro que tiene una base y un origen biológico de supervivencia, y sin duda en muchos momentos es lo adecuado. Pero los seres humanos del siglo XXI actuamos de un modo inconsciente cuando en realidad deberíamos actuar de otro modo.

Fíjate en estas situaciones:

Escena 1
Un padre me comenta que su hija no quiere ir a la universidad.

Cuando no es mi hija le digo a su padre: -*Bueno, si no quiere estudiar en la universidad que no vaya. Puede ser una estupenda profesional sin ir a ella*-.

Cuando es mi hija le digo: -*Tú tienes que ir a la universidad y si luego no te gusta, pues ya veremos lo que haces, pero al menos tienes un título*-.

Escena 2
La hija de 8 años de nuestro vecino dice mentiras.

Le digo a mi vecino: -*¡Pero qué graciosa tu hija, hay que ver las mentiras que cuenta!*-.

Cuando es mi hija pienso: -*Si dice estas mentiras ahora ¿qué hará con 14 años? Esto se me irá de las manos*-.

Escena 3

Un niño que quiere hacer deporte, como todos los chicos de su edad, pero no desea jugar al fútbol.

Le digo a su madre: *-No lo obligues a jugar al fútbol si no le gusta-*.

Cuando es mi hijo le digo: *-Te he apuntado a fútbol, aunque tú preferías judo. Es que es muy buena oportunidad para hacer nuevos amigos.*

Seguro que estas respuestas y recomendaciones que hacemos a nuestros hijos tienen un sentido, es más, seguro que para otras generaciones lo tenía, pero ¿lo tiene para nosotros ahora?

Si no tiene sentido, ¿por qué actuamos así?
Y si lo tiene, ¿por qué cuando se trata de los hijos de otros recomendamos otras cosas?

Cualquiera que sea la respuesta, merece la pena ser reflexionada. Cuando tomamos consciencia, tomamos distancia.

Cuando tomamos distancia, vemos con claridad. Entonces dejamos de proyectar y somos honestos con nosotros mismos.

15.

O SEA, QUE *MINDFULNESS* ES PASAR DE TODO

No sería la primera vez que uno de los asistentes a mis talleres me dijera esto, -*O sea, que Mindfulness es pasar de todo*-. La verdad es que nada más lejos de la realidad.

Dado que a menudo me han dicho esto, trataré con especial cuidado de explicarlo.

Cuando un padre practica la atención plena, no se hace en absoluto pasota ni permisivo. No tiene por qué establecer unos límites más laxos, aunque a veces ocurra.

En realidad, la práctica de la atención plena nos lleva a poner los límites que realmente uno considera importantes dentro de su propio criterio, es decir, uno descubre su verdadero modo de educar, desde sí mismo. Además, dado que uno es más consciente de su estado, no estalla tanto.

El no estallar, no gritar y no estar constantemente llamando la atención, no significa pasar de todo, significa que se ha aprendido a gestionar los conflictos de otro modo.

A veces, en nuestro piloto automático como padres, pretendemos ser perfectos y llegar a todo, y le damos la misma importancia al color de los calcetines de nuestros hijos, que a que estos ayuden a poner y a quitar la mesa.

Si no se llega a todo, porque la perfección no existe, tendremos que decidir qué es más importante.

Si decidimos que es quitar la mesa, entonces es posible que alguien que piense que el color de los calcetines es más importante, opine que "somos unos pasotas". Pero nosotros sabremos que no los somos. Simplemente somos conscientes, ponemos límites conscientes y educamos según nuestro criterio, no según el criterio de los otros.

Siéntate y reflexiona. Sé honesto contigo mismo. Valora todas las opciones posibles. Escucha tu corazón. Sal de la programación heredada y decide por ti mismo.

Y recuerda, simplemente prueba, a ver qué ocurre.

16. ¡ESTO ES MUY DIFÍCIL!

Cuando explico en mis talleres cómo podemos comenzar a estar atentos y cómo es posible parar antes de actuar, me dicen: *-Sí, esto está muy bien, pero no me imagino yo, en pleno momento crítico, parándome, observándome y decidiendo qué hacer-*.

Uno no puede subir una montaña si antes no se ha entrenado. Cuando alguien desea correr una maratón, busca un entrenador personal que le dará un programa en el que irá aumentando poco a poco la intensidad del entrenamiento.

Sin embargo, cuando un padre acude a mí para comentarme que "pierde los nervios cada vez que su hija deja la ropa en el suelo", por algún motivo espera que le dé la solución, que esta sea rápida, casi inmediata, que le ponga un entrenamiento mágico con el cual gestionar la situación complicada

y que esta alternativa sea eficaz desde el primer día.

La educación es como una maratón y los conflictos, aunque nos cueste creerlo, son como las montañas.

En realidad, los conflictos deberíamos de tomarlos como situaciones.

Veamos cómo subimos esta montaña. Lo primero es entrenarse, así que te propongo colocarte una alarma en el teléfono 5 veces al día. Cada vez que suene:

Síguenos en Facebook, en Instagram y en nuestro Canal de YouTube y encontrarás consejos que te ayudarán a incorporar la atención plena a tu día a día.

 https://www.facebook.com/unbosquetranquilo

 https://www.instagram.com/un_bosque_tranquilo

 YouTube, Un Bosque Tranquilo

- Te paras
- Observa cómo te sientes físicamente, si tu postura es cómoda, si hay algo que pudieras hacer para que tu cuerpo se sintiera mejor en este momento.
- Observa qué emoción o emociones estás sintiendo.
- Observa qué estás pensando en este momento. Te sorprenderá la cantidad de veces en las que no piensas en lo que haces ya que tu mente suele estar vagando por algún lugar del pasado o del futuro.
- A continuación tomas unas cuantas respiraciones profundas, conscientes y continúas con lo que estabas haciendo.

Este sencillo ejercicio está provocando que al cabo del día hayas tenido varios momentos conscientes de paradas y de descansos para que vayas tomando consciencia de tu presente.

Además, nos estamos entrenando para ser capaces de pararnos en momentos que no son necesariamente críticos para que, cuando llegue la situación conflictiva, podamos pararnos.

Seguramente que no lo logremos las primeras veces, pero te aseguro que se consigue.

Algunas actividades en forma de juegos, pueden ayudarnos a tomar consciencia de cada momento, como por ejemplo, la alarma en el teléfono. Cuando tus hijos son pequeños y suena en casa, puede usarse como un juego en el que todos nos quedamos parados, como congelados, sea lo que fuere lo que estuviéramos haciendo.

Otra variación es jugar a las estatuas. Se pone música, se baila y cuando se para la música, todos nos quedamos quietos. En este caso nadie pierde ni se elimina. Es sólo quedarnos quietos, sin movernos, hasta que vuelva a sonar la música.

17. NO TENGO TIEMPO PARA MEDITAR

"Es que no sé dónde situar la meditación en mi vida. Por la mañana tengo muchísimo sueño y por la noche estoy agotada."

¿Ayer no tuviste tiempo? Bueno, hoy puedes tenerlo. Quizás mañana no pero lo único que importa es que tal vez hoy sí que lo tengas. No te juzgues, no te preocupes.

¡A meditar!

Lo mejor es establecer una rutina y sentarse cada día a meditar. Lo ideal sería sentarse unos 20 ó 25 minutos cada día, pero también soy consciente de lo difícil que esto puede ser, especialmente cuando uno tiene niños o cuando no tienes una compañía que te respalde .

Todos podemos encontrar 25 minutos y desde luego 5, pero se trata de un hábito nuevo y todo hábito necesita de un tiempo, de una rutina, de un compromiso y de una disciplina. Como escuché una vez a un ponente: -*"Si no tienes cinco minutos a lo mejor tienes uno"*.

En Un Bosque Tranquilo hay algunos ejemplos de cómo meditar con niños, y en nuestro canal de YouTube también hay alguna meditación que puedes usar, ¡disfrutadlas!

Algunos consejos:

- Lo ideal es localizar el mejor momento del día para poder sentarnos y hacerlo rutinariamente siempre en ese mismo momento.

- Es mejor sentarse 5 minutos cada día que 20 un solo día a la semana.

- Si no puedes hacerlo en casa, tal vez puedas hacerlo en la oficina.

- Si crees que no tienes esos 5 minutos, tal vez te ayude contar dos veces hasta 40 respiraciones. Esto más o menos hacen 5 minutos.

- Puedes aprovechar el momento del viaje en transporte público.

- Puedes aprovechar cuando vayas a la compra o al trabajo si vas caminando y hacerlo de manera consciente.

- Si haces ejercicio, puedes aprovechar ese momento.

Para practicar con tu hijo:

- ¿Y si te sientas con tu hijo cada noche, esos minutos previos en los que le vas a acostar, y además de contarle un cuento aprovechas y respiráis juntos conscientemente un ratito? Según su edad él podrá hacerlo de un modo más o menos consciente, pero seguro que tú podrás hacerlo y es una muy bonita rutina.

- O simplemente sentaos contando respiraciones. Tu hijo se relajará, dormirá mejor y compartiréis un precioso momento juntos.

18. ¡DIOS MÍO! ¡ESTOY DICIENDO LO MISMO QUE DECÍA MI MADRE!

Es increíble cuando te das cuenta de que *esa frase* que tanto odiabas de tu madre, de pronto, sin saber cómo, sale de tu boca. Cuando la oyes, te dices: "¡Dios mío! ¡Estoy diciendo lo mismo que decía mi madre!".

Tranquila, no te estás volviendo loca. No es más que tu cerebro reproduciendo un patrón que ha quedado grabado a base de haberlo escuchado.

Es como un camino que se forma en tu cerebro. Cada vez que recibes un mensaje, este crea una huella en el cerebro. Si el mensaje se repite, es como si la huella se hiciera más profunda, así que cuando tu cerebro se encuentra en una determinada situación, con unas emociones parecidas que le resultan familiares, reproduce en voz alta lo que tiene programado.

Pero nuestro cerebro es moldeable y cambia. Los estímulos que recibe hacen que cada vez se realicen más conexiones neuronales, de modo que del mismo modo que las huellas de las que hablábamos antes se hacen más profundas, también pueden iniciarse "nuevos caminos".

Te cuento un ejemplo. Mi madre siempre decía *"el profesor siempre tiene la razón"*. Esa frase ha ido marcando un camino en mi cerebro, de modo que cada vez que la oía, el camino se hacía más profundo.

Llega un día en que mi hija me explica que su profesora les está mandando muchos deberes y que quiere que hable con ella a ver si puede mandar menos. Yo siento que tiene razón, que no me gusta que les presionen tanto. Sin embargo, la respuesta que sale por mi boca es -*"El profesor siempre tiene la razón, así que sus motivos tendrá".*

Mi respuesta es esa, porque mi cerebro entiende que es lo adecuado en ese momento. Entonces me escucho y ¡zas!, salta una alarma en mi cuerpo, -*¡Oh, no! ¡Ya lo he vuelto a hacer! ¡Estoy hablando como mi madre!.*

Por un lado, he tomado consciencia de que he reproducido lo mismo que decía mi madre, que ya es algo, pero por el otro, como soy responsable de mi vida, si no me gusta algo, puedo cambiarlo.

Desde el momento en que nos damos cuenta, la reproducción automática por parte del cerebro se interrumpe y comenzamos a ser dueños de lo que decimos.

De este modo, me pregunto:
- ¿Y si la afirmación *"el profesor siempre tiene la razón"* no es una verdad absoluta y efectivamente son muchas las horas que mi hija está dedicando a estudiar con 7 años?

Entonces pienso:
- Voy a hablar con los demás padres a ver si sus hijos le dedican tanto tiempo a los deberes. De cualquier modo, iré a hablar con la profe.

En este momento, la huella inicial del cerebro de *"el profesor siempre tiene la razón"* se difumina, y por otro lado se inicia un nuevo camino, el camino de "voy a preguntar e iré a hablar con la profesora".

Es importante reconocer esto porque nos indica y nos recuerda que **siempre estamos a tiempo de cambiar**, y también nos enseña que al final somos más cuerpo de lo que creemos, ya que nuestras palabras y pensamientos proceden en definitiva de un órgano, que es la mente.

El tomar consciencia nos enseña que somos nosotros quienes podemos manejar nuestro cuerpo y mente, y no al revés

¡SOY MI MADRE!

19.

¡PORQUE LO DIGO YO, Y PUNTO!

Gran frase que muchos de nosotros hemos dicho en algún momento y que a muchos de nosotros nos han dicho. No pasa nada por decirla, siempre que la digamos desde la consciencia.

Uno de los principales problemas a la hora de educar son los límites y las normas. Antes había muchas normas y ahora nos hemos ido al otro extremo y esto al niño lo desconcierta, y no digamos al adolescente.

A mi me gusta pensar que estamos programados. A lo largo de nuestras vidas, por nuestras experiencias, nuestras creencias, por nuestras lecturas o nuestros aprendizajes, se crean programaciones en nuestras mentes. Se crean como caminos en nuestra mente, cada vez más profundos, tan profundos que creemos que son verdad.

Voy a explicarlo con un ejemplo: - Hacer las camas. Podemos pensar y estar seguros de que es necesario que nuestro hijo de 15 años haga su cama cada mañana ya que tenemos esa creencia muy instaurada. Así nos lo han enseñado a nosotros y así lo vamos a enseñar. Como consecuencia de nuestras vivencias, en nuestro cerebro se ha creado una profunda huella en relación a esta pauta educativa y por tanto, la repetimos de modo inconsciente.

Imagínate que yo pregunto: -¿Por qué crees que es importante que tu hijo haga la cama? Si la respuesta es: - *"Porque sí, o porque eso es lo que me han enseñado a mi"* o algo parecido, has de revisar esta norma.

No existen verdades absolutas en términos de educación y por eso no se puede educar con libros.

Se ha de educar con criterio y a ser posible propio.

Cuando me paro a reflexionar sobre esto y me pregunto si es importante hacer la cama, si realmente me importa, si es para mi fundamental, me observo. **Observo** si yo misma hago la cama. **Me escucho**, y es entonces cuando aparece **lo que yo realmente considero importante**. De esta forma soy capaz de establecer prioridades.

Uno de los problemas más importantes a la hora de educar es que a veces no nos creemos lo que estamos inculcando ya que ni nosotros mismos lo hacemos.

No sería la primera vez que un padre que exige a su hijo que haga la cama, no la haga él mismo. **Educamos con el ejemplo, pero no nos damos cuenta porque no prestamos atención.**

La práctica de la atención plena nos lleva a ser conscientes de lo que hacemos, para hacerlo con responsabilidad y criterio.

Cuando establezcas una norma:
• Asegúrate de que puedes justificarla.
• Si la justificación es demasiado compleja para un niño pequeño, establécela sin más. No pasa nada, pero asegúrate de que ante ti está justificada. Eso hará que te mantengas firme y seguro, y que no dudes de ello.

Nada impide más establecer límites que las normas que aparecen y desaparecen según el estado de ánimo del padre; o esas normas que el niño sabe que puede no cumplir porque su madre va a ceder si protesta.

Te invito a hacer lo siguiente:
En lugar de decirle a tu hijo pequeño -*"no se tiran*

Mindfulness nos ayuda a tomar distancia y a observar y escucharnos a nosotros mismos. Y de ese modo podemos decidir qué normas establecer desde mi propio criterio.

papeles al suelo"-, puedes decirle -*"hay que tirar los papeles a la papelera porque si no se ensucia la calle"*-.

Los niños pequeños suelen preguntar *"el por qué de las cosas"* y nos lo ponen más fácil, pero con los adolescentes es algo más complicado, por eso en lugar de *"recoge tu habitación"*, tal vez le llegue más el *"mantén tu ropa ordenada y no tirada por el suelo, porque es una falta de respeto hacia mí, que soy quien me ocupo de hacer las labores de la casa"* o cualquier otra razón que para nosotros sea de peso, y recuerda, **si no encuentras esa razón de peso, tal vez sea que no estás convencido de esa norma.**

Recuerda:
Los límites y las normas son necesarios. Los niños y los adolescentes los necesitan. Mira la naturaleza: del mismo modo que un río sin límites se desborda y deja de existir, así nos pasa a nosotros.

20. ¡SOY LA PEOR MADRE/ EL PEOR PADRE DEL MUNDO!

Cuando se habla de padres y de hijos, todo se dramatiza mucho más. Que se me vaya de las manos una bronca, no implica que sea la peor madre o el peor padre del mundo, pero realmente lo sentimos así en ese momento.

A menudo pensamos que los demás lo hacen todo mejor que nosotros. Cuando perdemos el control nos culpabilizamos, y la culpa es lo peor.

Por si no teníamos bastante con haber montado una bronca tremenda, azote incluido, ahora además hay que hacer frente al sentimiento de culpabilidad y a la crítica feroz que nos hacemos a nosotros mismos.

Todos los padres perdemos el control, y **lo perdemos porque hay muchas cosas en juego y mucha afectividad**. Es muy fácil no perder el control cuando estamos con niños que no son nuestros hijos, especialmente con los que apenas existe vínculo emocional, pero cuando la vinculación es grande, todo es más complicado, y si no atentos a las siguientes preguntas:

- ¿Cuál es el sonido de una moto? El sonido de una moto es el sonido de una moto.

- ¿Cuál es el sonido de un niño que llora? El sonido de un niño que llora es el sonido de un niño que llora.
- ¿Cuál es el sonido de mi hijo cuando llora? El sonido de mi hijo cuando llora es el sonido de que soy una mala madre, esto se me va de las manos, qué van a pensar de mi, si no sé educar a mi hijo para qué sirvo, no valgo como padre, etc.

No es el mensaje de este capítulo el decir que no pasa nada o que no importa perder el control ya que somos humanos. Sí importa y mucho. No ser culpables no implica que no debamos de ser responsables.

Durante muchos años yo me sentía la peor madre del mundo porque a menudo perdía el control. Tenía muchos "ataques de ira" y gritaba mucho. Más tarde comprendí por qué, ya que fueron precisamente esos momentos

tan descontrolados los que me llevaron a la meditación.

Si ahora estoy escribiendo estas líneas es porque tenía un genio terrible. Me sentía muy mal por ello, muy culpable. Pero afortunadamente también sentí que debía hacer algo para cambiarlo. **Al igual que la culpabilidad llegó a mí, también llegó la responsabilidad. Está en nuestra mano cambiar.**

Y es que todos los padres lo hacen lo mejor que pueden, lo mejor que saben. Aunque haya padres que nos parezcan horribles por lo mal que se comportan con sus hijos, he comprendido que es producto de la ignorancia y de su historia.

Te invito a que lo observes y practiques esta meditación compasiva contigo mismo:

TODOS LOS PADRES COMETEN ERRORES
TODOS SOMOS HUMANOS
NO SOMOS PERFECTOS

❧ *Cierra los ojos y siéntate en una posición digna y cómoda, sintiendo tu cuerpo sobre la silla, los pies sobre el suelo y sintiendo tu respiración.*

❧ *Imagínate una situación estresante que hayas vivido últimamente como padre o madre, o si lo prefieres como abuela o abuelo. Dedícate unos momentos para encontrarla.*

❧ *Cuando ya la tengas, sitúate en el lugar, en lo que estás haciendo, con quién estás: ¿Qué sensaciones tenías? ¿Qué emociones? ¿Qué pensamientos? ¿Qué acciones?*

❧ *Vuelve ahora al presente, lo mejor que puedas, y observa lo que sientes, lo que piensas, lo que harías. Cualquier cosa que aparezca está bien. Permite que surja todo lo que tenga que surgir. Siéntelo.*

Lleva ahora la atención a tu respiración y trata de mantenerla al menos 3 respiraciones.

❧ *Ahora, dedícate unos momentos de compasión hacia ti mismo. Puedes colocar tus manos sobre tu corazón y decirte algo como "Esto es duro, es difícil, pero trato de hacerlo lo mejor que puedo".*

❧ *Dite a ti mismo: "a todos los padres les ocurre, no sólo a mí. Somos todos seres humanos, y como tal cometemos errores".*

❧ *Permanece así el tiempo que desees, cuidándote como si de tu hijo te trataras. Dándote el cariño y la comprensión que necesites.*

❧ *Cuando lo sientas, haz una respiración profunda, y abre los ojos.*

21. ¡NO SE DUERME!

Uno de los peores momentos en la historia de un padre es cuando no hay manera de que se duerma el bebé, y además es que realmente parece que cuanto más cansados estemos, más les cueste dormir a ellos, ¡paciencia!

Esto no es casualidad. Los niños son muy sensibles a las emociones de sus padres, por eso cuando nos sienten intranquilos, ellos se inquietan.

La tranquilidad del padre le da tranquilidad al hijo, así que lo peor que puede pasar es que estemos inquietos, malhumorados o estresados ya que él también lo sentirá. Es posible que no sienta lo mismo, pero sin duda alguna sentirá, percibirá algo que no es "lo agradable" o "lo seguro", y se inquietará.

De modo que ante ese momento crítico en que no se duerme:

- Que tome las riendas aquel que esté más tranquilo. ¿No te has fijado que se duerme mejor con tu suegra, con tu madre, con tu vecina, con tu cuñada o con cualquiera que esté más tranquilo? Esto ocurre porque todos los demás están menos implicados emocionalmente con tu hijo que tú y menos conectados, así que permite que sea otro quien ayude a dormir al bebé. No pasa nada.

- Respira profundamente unas tres veces. Observa cómo te sientes. Tal vez te sientas culpable, mala madre, un desastre como padre, etc. Observa estas emociones y acéptalas. Observa tus sensaciones corporales, en qué zonas sientes cansancio, tensión, tal vez incluso dolor y de nuevo acéptalas.

- Observa lo que estás pensando, ya sean pensamientos horribles hacia ti, o tal vez malos deseos hacia tu suegra o hacia esa cuñada tuya que "todo lo hace bien". Recuerda que tú no eliges tus pensamientos, aunque sí que eliges lo que hacer con ellos, así que déjalos pasar. Observa tu

respiración, lleva toda tu atención y cuenta respiraciones hasta 10, 20 o las que necesites hasta observar que ya pasó la gran tormenta. Date tiempo. No te des prisa.

• Vuelve en ese momento si lo deseas, o ve a verle dormir (si es que ya se ha dormido).

Con toda la razón, podrías preguntarme: -¡Ya, muy bien! pero ¿y qué ocurre si estoy sola o con mi pareja, el cual está más histérico que yo?-.

Aunque no lo creas, te diré lo mismo:

• Ponte de acuerdo con tu pareja y que uno de los dos tome al niño en brazos, o que lo deje en la cuna mientras le acaricia la manita o la cabecita.

• Tu hijo está llorando, coloradito, no se duerme y está inquieto. Te toca a ti, como adulto, sostener la emoción de tu hijo, así que de nuevo lamento decirte que **tienes que centrarte en ti**.

• Comienza respirando profundamente, toma conciencia de tus emociones, de tus sensaciones, de tus pensamientos y céntrate en tu respiración.

• Tanto si lo tienes en brazos o en su cuna, entra en contacto con él. Tu hijo es en ese momento tu motivo y tu centro de meditación. Obsérvale, siéntele, mientras sigues tu respiración.

En este momento estamos "manteniendo a raya a nuestra mente". Sabemos que la mente como mucho puede ocuparse de dos cosas a la vez. En este caso le estamos dando dos tareas: nuestra respiración y la observación de nuestro hijo. Lo que estamos haciendo es mantener a la mente "distraída", para que no comience con un discurso contaminado del tipo: -¡Dios mío! Este niño no se va a dormir nunca- o -¡Mañana tengo una reunión y estaré agotado!- o comentarios aún más duros que lo único que consiguen es hacer que empeore la situación.

Comprobado está que si te calmas tú, también se calmará tu hijo, incluso si se trata de fiebre, de gases y de malestar, aunque es posible que en estos últimos casos realmente le cueste dormir.

No hay soluciones mágicas. De cualquier modo, como adulto y padre, tu papel es el estar al lado de tu hijo y, efectivamente, pasar una mala noche si es que toca.

22. ¡ME HA PEGADO!

A veces los niños pegan, incluso a sus padres. Sí, aunque sean pequeñitos, los niños pegan porque no desean irse a la cama, o porque desean una chuche, o porque se les ha regañado... Son miles las ocasiones en las que se puede dar el manotazo del niño enfadado.

He visto a padres a los que no les importa e ignoran completamente esa conducta. Si eres uno de esos padres, significa que para ti realmente no es un problema, por tanto este apartado no es para ti.

Sin embargo hay padres que viven esto como un problema. En ese caso, continúa leyendo.

Si eres uno de esos padres que se han preocupado, bien porque su hijo les pega o bien por su reacción posterior, te pregunto ¿cómo te has sentido?

No me sirve que respondas mal, ni tampoco únicamente triste o enfadado.

Vamos a hacer una reflexión un poco más profunda. Recuerda un momento en que se haya dado esa situación. Cierra los ojos y recuerda ese momento. Visualízalo lo más nítidamente posible. Recuerda con quién estabas, qué había ocurrido antes, dónde estabais, qué estabais haciendo. Recuerda incluso los olores, los sonidos.

Sitúate justamente en el momento previo en que tu hijo te pega e inmediatamente después en el momento en el que lo hace.

Observa tus sensaciones físicas, tus emociones, tus pensamientos, siendo muy honesto, muy concreto y responde:

- ¿Cómo está tu cuerpo en ese momento? Tenso, sientes calor, te molesta donde te ha dado el manotazo...
- ¿Qué emoción aparecía? Tristeza, ira, miedo, ansiedad, frustración, rabia...

- ¿Qué pensabas en ese momento? -"*Dios mío, si me pega ahora, qué hará de mayor*", "*no pasa nada, es pequeño*", "*lo que tengo que hacer es pegarle para que aprenda*", "*he de poner límites más claros*", "*haré lo que me pide para que no se enfade más*" -, etc. Sé muy honesto con los pensamientos. Recuerda que tú no los eliges, y ten en cuenta que no serán pensamientos agradables en ese momento.

- Observa qué te surge hacer, qué conducta: pegar, gritar, castigar...

Siente, observa, acepta todas estas sensaciones, emociones y pensamientos. No juzgues, simplemente déjalas que estén dentro de ti. No las evites y acepta también la conducta que hayas tenido.

Ahora que has permitido que estén dentro de ti, que las has visto y que las has aceptado, lleva tu atención a la respiración. Haz al menos 5 respiraciones conscientes, como si fuera la primera vez que respiras. Sintiendo cada instante.

❀ Ahora escribe en esta tabla lo observado:

¿QUÉ OCURRE CUANDO NUESTRO HIJO NOS PEGA?				
¿CÓMO ESTÁ MI CUERPO?	¿QUÉ HE SENTIDO, QUÉ EMOCIONES SURGEN?	¿QUÉ HE PENSADO?	¿QUÉ ME HA SURGIDO HACER?	¿QUÉ HE SENTIDO DESPUÉS DE MI CONDUCTA?
*Tenso, caliente. *Me arde el lugar donde me pegó.	Me siento triste.	Tal vez no lo estoy educando bien. ¿Y si no me quiere?	No le he dicho nada porque tengo miedo de que sea peor. Tal vez si lo ignoro…	Insegura
*Me arde la cara. *Tensión en la garganta	Me siento enfadada.	¡Se va a enterar! Es una falta de respeto. Yo tengo que demostrar que pongo los límites	Le he dicho: -¡No se pega!-, mientras le he dado un azote.	*Enfadada *Culpable
*Me arde un poco la mano. *Resto del cuerpo bastante relajado.	Algo preocupado (la preocupación viene del miedo).	Le daré una conducta alternativa, que es lo que me han dicho en el cole.	Le tomo la mano, se la llevo a mi cara, hago que me acaricie. Le digo: -No se pega a papá-.	Tranquilo, aunque algo temeroso de que no tenga efecto lo que he hecho.

Es interesante observar que en función de nuestro estado, así será nuestra conducta.

No juzgues ninguna de tus reacciones, todas han sido fruto de lo mismo: educar a tu hijo con la mejor de las intenciones. Todas ellas han sido inconscientes porque todas ellas han sido automáticas ya que no hemos tomado consciencia de cómo nos sentíamos, de qué pensábamos. Este proceso ocurre de modo inmediato.

¿Qué sucede cuando paro y tomo consciencia de cómo estoy YO? Sucede que sería muy extraño que optáramos por una conducta agresiva o insegura.

Una opción que nos puede ayudar es observar cómo se siente nuestro hijo, intentar comprender qué le ha llevado a esa reacción, y tal vez poner palabras a sus sentimientos.

Un manotazo no deja de ser un modo de comunicar, de modo que ¿y si respondemos a esa comunicación?, ¿qué intenta decir mi hijo cuando me pega? Es posible que se sienta frustrado, enfadado, cansado, etc. Pongamos en palabras estas emociones y sensaciones, así podremos expresarle:

- Parece que estás cansado. Ya sé que llevas todo el día fuera pero ahora ya nos vamos a casa, ¿de acuerdo?
- ¡Uff! ¡Estás muy enfadado! Ya sé que deseas el juguete de tu hermano, pero no te lo va a prestar ahora porque está jugando él.
- Sé que quieres que te preste atención, pero ahora no puedo. Un segundo por favor.
- Parece que estás enfadado, ¿te ha pasado algo en el cole?

Un manotazo es un modo de comunicar, **incorrecto,** **pero pretende decir o expresar algo.**

> **Recuerda:**
> **No estoy diciendo que tengas que tolerar el manotazo de tu hijo. Sólo hablo de que te des cuenta de lo que significa para ti que tu hijo te pegue. Entonces, tú mismo sabrás cómo actuar. No es mi papel decirte lo que debes hacer. Pero sí ayudarte a descubrirlo.**

Y para terminar...

Dicen que el mejor modo de aprender es enseñar, y a medida que he ido escribiendo estas páginas me he dado cuenta.

Es difícil cerrar un libro. Cada vez que lo lees sientes que se te quedan cosas en el tintero, siempre buscando la perfección, pero como dicen, *lo mejor es enemigo de lo bueno*, así que mejor dejarlo en bueno y plantear cosas para el futuro.

En una segunda parte de este libro, que la habrá, será interesante hablar, siempre desde la perspectiva de la consciencia y atención plena, de la sobreprotección, de la disciplina y límites conscientes, de la compasión, del silencio...

Muchos son los detalles que se nos escapan a lo largo del camino, pero no pasa nada porque siempre podemos cambiarlo.

Es importante que grabes en tu mente que eres un ser humano y como tal, reaccionas por programaciones de tu cerebro. Programaciones que vienen de experiencias, de modelos, de aprendizajes. Pero esas programaciones se pueden cambiar. No importa lo que has hecho ayer, lo importante es que desde hoy lo harás de un modo diferente porque somos responsables, no culpables. **Recuerda que la culpa paraliza y la responsabilidad te lleva a actuar y a tomar las riendas de tu vida**. Siendo responsable y consciente puedes caminar hacia el modelo de paternidad que deseas, mientras que de lo contrario vas dando tumbos siguiendo directrices que seguramente no te convencen.

He intentado trasladarte la idea de que lo fundamental es que cada uno sea capaz de descubrir su criterio educativo, libre de lo que le dicen, de lo que lee, de lo que ha vivido. Es complicado conseguirlo, pero sé que la práctica de la atención plena te ayuda a llegar a ello.

Como dice **John Muir**: *"De todos los caminos que recorras en tu vida, asegúrate de que algunos de ellos tengan barro"*. Sólo equivocándote puedes aprender.

Ojalá haya sido capaz de plasmar en estas páginas algunas claves de *Mindfulness* y haya podido ayudarte, aunque sea un poquito. Ese ha sido mi deseo al recopilar mis experiencias, como madre y como acompañante de otros padres, de modo que...

¡Buen camino!

Cursos y talleres

Patricia Díaz-Caneja Sela

Desarrollo cursos y talleres en asociaciones, centros especializados y colegios, en España y Latinoamérica.

Mis especialidades son:

- Cursos y sesiones de meditación y *Mindfulness* para adultos.
- *Mindfulness* y meditación específicos para padres (estrés parental).
- Acompañamiento basado en *Mindfulness* para padres de niños con necesidades especiales.
- Sesiones individuales para familias.
- Talleres de *Mindfulness* para niños.
- *Mindfulness* y coaching individual para adultos, on line y presencial.
- Contacta conmigo en las redes sociales o a través de mi web diazcaneja.com, enviándome un e-mail a pdiazcaneja@gmail.com

LA MEDITACIÓN DE LOS GUIJARROS

(Basada en Pebble Meditation de Thich Nhat Hanh)

Me parece interesante terminar el libro con una meditación del maestro **Thich Nhat Hanh**, también conocido como *Thay* (maestro). Este monje budista exiliado en Francia es uno de los padres de *Mindfulness* en Occidente. **La meditación de los guijarros** surgió en uno de los numerosos retiros que ha desarrollado *Thay* con familias, si bien yo le he añadido algunos detalles. Esta práctica, ideal para desarrollar con niños, es la siguiente:

Cada uno toma cinco piedras, que coloca frente a sí. Cada una de las piedrecillas representa aspectos diferentes.

Sentados todos en círculo, comenzamos tomando la **primera piedra**. Esta representa una flor, y también nuestra frescura natural, esa alegría que florece en cada uno de nosotros. Colocamos la piedra sobre la mano izquierda, y ésta a su vez sobre la mano derecha.

Uno de los participantes dice en voz alta:
- Tomo aire, soy una flor.
- Suelto el aire, me siento alegre.

Los demás lo repiten en voz alta, y se toman 3 respiraciones.

Esto no es sólo imaginación, ya que en realidad somos como una flor en el jardín de la humanidad, nos dice *Thay*. Continúa recomendando sonreír durante la práctica, ya que en realidad para nosotros las flores siempre están sonriendo. Esta piedra es nuestra alegría natural. Al terminar, se coloca la piedra a nuestra derecha.

Se toma la **segunda piedra**, y se observa. Esta piedra representa una montaña. Las montañas son sólidas, fuertes, estables. Pase lo que pase a su alrededor, siempre permanece en su sitio. Esta sensación es muy importante para nosotros, especialmente para los niños, que se sentirán seguros de sí mismos digan lo que digan los demás a su alrededor. Igual que anteriormente, se toma la segunda piedra y alguien dice:

• Tomo aire, soy una montaña.
• Suelto el aire, me siento fuerte.

Los demás lo repiten en voz alta, y continúan con 3 respiraciones. Se coloca la piedra a nuestra derecha.

La **tercera piedra** representa agua clara, quieta. Un lago que refleja el paisaje que le rodea como si fuera un espejo. De este modo, cuando nuestra mente está tranquila, en calma, refleja lo que ocurre a nuestro alrededor tal cual es. Así, lo que percibimos no está contaminado por sentimientos o pensamientos que nos llevan a decir o hacer cosas que no deseamos. Esta piedra nos ayuda a recobrar la calma y la paz. Se

toma entonces la tercera piedra y se dice:
• Tomo aire, soy un lago.
• Suelto el aire, me siento en calma.

Los demás lo repiten en voz alta, y se toman 3 respiraciones. Colocamos la piedra a nuestra derecha.

La **cuarta piedra** representa el espacio y la libertad. Si no tenemos espacio en nuestro corazón será muy difícil ser feliz. Todos necesitamos libertad y espacio. Necesitamos espacio para nosotros mismos, y espacio para compartir con los otros. Respetar nuestro espacio tiene mucho que ver con respetar el de los demás, sus opiniones, su modo de vida. Imagínate la luna en medio del cielo; imagínate los planetas girando en perfecta armonía, respetándose unos a otros. Observa los árboles, las plantas… cada uno tiene su propio espacio. Así, del mismo modo, se toma la cuarta piedra, y se dice:
• Tomo aire, soy el espacio.
• Suelto el aire, me siento libre.

Los demás lo repiten en voz alta, y se toman 3 respiraciones. Se coloca la piedra a nuestra derecha.

La **quinta piedra** representa un corazón *. El corazón es amor, es comprensión, es compasión. Es desear el bien para el otro y sentir deseos de ayudar al que sufre. Es quererse a uno mismo y a los demás. Se toma la quinta piedra, y se dice:
• Tomo aire, soy un corazón.
• Suelto el aire, siento amor.

Los demás lo repiten en voz alta y se toman 3 respiraciones. Se coloca la piedra a nuestra derecha.

---

* *Un día estaba haciendo esta meditación con Paula, una niña de 8 años, y ella me sugirió este quinto guijarro.*

Editorial ELA

Otros títulos

❁ El efecto del optimismo. Ten pensamientos positivos. *Las claves del éxito y la salud. Un aire nuevo para tus ideas.*

Para conocer el poder que tiene el optimismo y aplicarlo a tu vida diaria, convirtiendo todo lo que suceda en tu vida en "lo mejor que te podría haber sucedido jamás". Porque la **mente** de cualquier persona es como un **laberinto**, pero este laberinto se puede poner en orden, se puede convertir en una autopista para llegar a donde tú quieras llegar. Y las **mejores herramientas** para conseguirlo, están en este libro.

Los lectores han dicho de ella: *"El mejor libro que he leído en los últimos años"; "Muy práctico y directo desde el primer momento"; "Una joya"; "¡Lo he pasado genial!"; "Imprescindible para nuestros días. Debería enseñarse en los colegios".* Además contiene claves y ejercicios prácticos para relajarte, hacer *Mindfulness*, para el autoconocimiento y uno de los preciosos cuentos: *"El anillo de los deseos"* seleccionado del libro *"Cuentos indios de príncipes y princesas"* de este mismo autor, el orientalista **Norberto Tucci**.

❁ Cuentos y proverbios indios ilustrados

Una selección de bellos cuentos y proverbios, acompañados de preciosas ilustraciones indias tradicionales.

Los cuentos y proverbios indios constituyen una herramienta ideal para transmitir el conocimiento y nos ayudan a comprender las situaciones desde fuera, sin necesidad de involucrarnos. La filosofía de fondo que hay en ellos es las que principalmente subyace en el pueblo indio, la filosofía hinduista.

Unos cuentos nos harán pensar, otros nos divertirán y otros nos iluminarán con sus chispas de sabiduría llevándonos a reflexionar.

"Deseo sinceramente que estos cuentos y proverbios nos ayuden a avivar la llama de la sabiduría que se encuentra en el interior de todos nosotros; que está dispuesta a encender e iluminar a toda la humanidad". **Norberto Tucci**.

 "Un Bosque Tranquilo. *Mindfulness* para niños"

Un Bosque Tranquilo es un cuento muy divertido tanto para niños como para mayores, para poder disfrutar en familia, leyendo todos juntos. También es un interesante recurso para educadores.

Además, supone una herramienta muy útil para que todos, niños y mayores, empecemos a tomar consciencia de la importancia que tiene la atención en nuestra vida diaria.

Al final del libro se añaden una serie de actividades que prolongarán, de la mano del **Hada Atención Plena**, los bellos momentos vividos en el libro, más allá de la mera lectura del mismo. Sus dibujos, ejercicios, consejos y pasatiempos nos ayudarán a encauzar a nuestros menores por el camino de la atención plena en cada instante, de una manera fácil y amena, jugando y disfrutando con ellos.

Escrito por Patricia Díaz-Caneja (pedagoga con una gran experiencia en *Mindfulness* para niños y familias) e ilustrado por Marta NavalGar.

También puedes seguir a *Un Bosque Tranquilo* en su web *unbosquetranquilo.com*, y en sus canales de:

 https://www.facebook.com/unbosquetranquilo

 https://www.instagram.com/un_bosque_tranquilo

YouTube, Un Bosque Tranquilo